Spanish
Answers & Transcripts

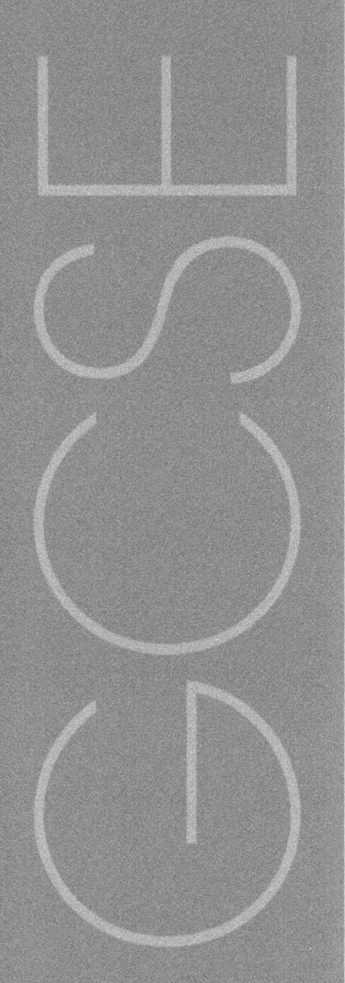

OXFORD
UNIVERSITY PRESS

Great Clarendon Street, Oxford, OX2 6DP, United Kingdom

Oxford University Press is a department of the University of Oxford. It furthers the University's objective of excellence in research, scholarship, and education by publishing worldwide. Oxford is a registered trade mark of Oxford University Press in the UK and in certain other countries

First published in 2019

British Library Cataloguing in Publication Data
Data available

978-0-19-844597-5

1 3 5 7 9 10 8 6 4 2

Paper used in the production of this book is a natural, recyclable product made from wood grown in sustainable forests.
The manufacturing process conforms to the environmental regulations of the country of origin.

Printed in Great Britain by Ashford Colour Press Ltd., Gosport

Cover photograph: Jurgen Richter/Robert Harding

Contents

KS3 revision

Nouns (p10)

1 Copy the words and put *el* before the masculine nouns and *la* before the feminine nouns.

1 la pregunta 2 el instituto 3 el gimnasio 4 la palabra 5 la mochila

2 Complete the grid giving the plural of each noun.

libros, profesoras, estuches, reglas, carpetas, lápices, pruebas, clases, gomas, cuadernos, profesores, pizarras

Articles (p11)

3 Complete the phrases.

1 unos libros 2 una puerta 3 las carpetas 4 la palabra 5 unas preguntas 6 un estuche 7 el gimnasio 8 los bolígrafos 9 una clase 10 unas pruebas

4 Complete the grid.

1 unas palabras 2 los institutos 3 las clases 4 unos lápices 5 las gomas 6 las profesoras 7 unos bolígrafos 8 unas reglas 9 los gimnasios 10 unas mochilas

5 Translate the phrases into Spanish.

1 unos lápices 2 una mochila 3 las carpetas 4 la prueba 5 unas preguntas 6 las puertas 7 un sacapuntas 8 las profesoras 9 el cuaderno 10 unos estuches

Regular verbs in the present tense (p12)

6 Match the verbs in the box with their translations below.

1 hablamos 2 comen 3 escribes 4 escribe 5 habláis 6 como 7 hablas 8 escribimos 9 hablo 10 escribís 11 comemos 12 come

7 Add the correct endings to the verbs.

1 estudia 2 compramos 3 asisten 4 Leo 5 vives 6 toma 7 aprendemos 8 estudiáis 9 suben 10 viajo 11 aprendes

8 Translate the verbs into Spanish.

1 bebe 2 aprendemos 3 asisten 4 compras 5 viaja 6 aprendo 7 vivís 8 estudian 9 subimos 10 lees 11 viajáis 12 asiste 13 vivo 14 compramos 15 corren

Using *ser*, *estar* and *tener* (p13)

9 Complete the sentences with the correct form of *ser*.

1 es 2 son 3 Sois 4 Eres 5 soy 6 somos

10 Complete the sentences with the correct form of *estar*.

1 está 2 están 3 Estáis 4 estás 5 estoy 6 estamos

11 Choose the correct alternative in each sentence.

1 son 2 está 3 estoy 4 es 5 estás 6 son 7 es 8 somos 9 estáis 10 está

12 Complete the sentences with the correct form of *tener*. Then translate the sentences into English.

1 tengo; *I have a dog and two cats.*
2 tiene; *My sister, Susan, is eighteen.*
3 tienen; *The students have excellent teachers.*
4 tenemos; *My friends and I have a lot of hobbies.*
5 Tienes; *Do you have a pen, please?*
6 Tenéis; *Do you have a lot of homework tonight?*

Numbers, ages and times (p14)

13 Listen to Señora Robles telling her class about the items in Lost Property. Write how many there are of each item, and what the item is. (Choose from pictures A–H.)

1 8 C 2 4 D 3 19 F 4 15 G 5 2 E 6 17 A 7 13 H 8 11 B

Transcript

1 En la Oficina de Objetos Perdidos tenemos ocho libros.
2 También tenemos cuatro mochilas.
3 Hay muchos lápices – un total de diecinueve.
4 Encontré un total de quince gomas.
5 También hay dos estuches.
6 Conté diecisiete bolígrafos.
7 Hay trece reglas en la oficina.
8 Finalmente, tenemos once sacapuntas.

14 Write the numbers as words.

1 diecisiete 2 cincuenta 3 veinticinco 4 treinta y siete 5 cuarenta y siete millones 6 cincuenta y nueve millones 7 cien 8 ciento sesenta 9 novecientos 10 sesenta y nueve

15 Write a sentence for each one of the people below, giving their age.

1. Tiene cuarenta y cinco años.
2. Tienen dieciséis años
3. Tenemos veintitrés años.
4. Tengo treinta y siete años.
5. Tienes sesenta años.
6. Tenéis cincuenta y dos años.

16 Match each time to the correct clock face.

1 D 2 B 3 E 4 A 5 C

17 Work with a partner and take turns to say what time it is.

1. Son las siete y cinco.
2. Son las diez menos veinte.
3. Son las seis y media
4. Es la una menos diez.
5. Son las tres menos cuarto.
6. Son las cinco y veinticinco.

Days, months and dates (p15)

18 Match the days of the week with their translation below.

1 lunes 2 martes 3 miércoles 4 jueves 5 viernes
6 sábado 7 domingo

19 Find the 12 months of the year in the sentences. Write them in order and translate them.

enero (*January*); febrero (*February*); marzo (*March*); abril (*April*); mayo (May); junio (*June*); julio (*July*); agosto (*August*); septiembre (*September*); octubre (*October*); noviembre (*November*); diciembre (*December*)

20 Listen to five people (1–5) saying when their birthday is. Match them to the correct date.

a 3 b 2 c 1 d 5 e 4

Transcript

1. Mi cumpleaños es el once de julio.
2. Nací el veintitrés de enero.
3. Mi amigo y yo tenemos el cumpleaños el mismo día: el diecinueve de marzo.
4. Mi cumpleaños es en otoño: el veintiocho de octubre.
5. Nací el dos de abril.

21 Write these dates in Spanish.

a el diecinueve de noviembre
b el doce de agosto
c el cinco de febrero
d el veintiséis de junio
e el treinta de septiembre
f el ocho de marzo
g el once de abril
h el catorce de octubre
i el veinticinco de diciembre
j el trece de enero

Theme 1: Identity and culture

Dictionary skills

Catchwords (p17)

1 Would you find the following six words on the above pages of the dictionary? Look the words up and write what they mean in English.

1 yes, folder 2 yes, tired 3 yes, expensive 4 yes, jail 5 no, song 6 no, to crack

2a Put the letters of each word in alphabetical order to make a Spanish word.

1 adiós 2 bello 3 amor 4 chino 5 hijo

2b Now look up the Spanish words in your dictionary. What do they mean in English? Use the catchwords to help you locate the right dictionary page.

1 goodbye 2 beautiful 3 love 4 Chinese 5 son

Unit 1: Me, my family and friends

1.1 Relationships with family and friends

1.1 F Hablando de los amigos (pp18–19)

1 Lee este correo electrónico de tu amigo español y contesta a las preguntas en español.

1 Puede pasar más tiempo con sus amigos.
2 el mejor amigo de David
3 Es muy divertido. / Se ríe todo el tiempo.
4 Es travieso.
5 Two of: Le cuida si se siente triste. / Le cuida si tiene discusiones con sus padres. / Le da buenos consejos.
6 japonés
7 dos años
8 Es inteligente y sincero.
9 el fútbol

2 Read the text in activity 1 again and find nine adjectives. For each one, write down:

Any nine from:

contento (masc sing): David
mejor (masc sing): amigo
divertido (masc sing): Roberto
travieso (masc sing): Roberto
especial (fem sing): amiga
triste (masc sing): David
buenos (masc plural): consejos
japonés (masc sing): chico
últimos (masc plural): años
inteligente (masc sing): niño
sincero (masc sing): Akira
mismo (masc sing): equipo
juntos (masc plural): David y Roberto
próximo (masc sing): email

3 Listen to four people (1–4) talking about a friend. Decide for each one if only statement A is true (**A**); if only statement B is true (**B**); if both statements are true (**A+B**).

1 A 2 B 3 A+B 4 A

Transcript

1 Jaime es una persona muy fuerte y le encantan los deportes peligrosos. Esto es lo que ve la gente que no le conoce muy bien, pero sus compañeros saben que en su vida privada es bastante tímido.

2 Siempre me llevo bien con Manolo porque nos interesan las mismas cosas. Nunca discutimos y me alegro de que sea así porque – en mi opinión – los amigos que discuten mucho no son amigos verdaderos.

3 Ana es la persona más divertida que conozco y a todo el mundo le encanta su sentido del humor. Además es muy cariñosa y ayuda a sus amigos cuando tienen problemas.

4 Últimamente mi mejor amiga, Isabel, se muestra muy antipática. Me fastidia continuamente porque es bastante egoísta.

4 Answers will vary.

5 Answers will vary.

6 Translate this passage into English.

My friend Elisa is 17 (years old). We have been friends for 11 years. She has brown short hair and she wears glasses. She seems nice (kind).

1.1 H Relaciones con la familia (pp20–21)

1a Lee este artículo sobre la barrera generacional. Busca las palabras y frases españolas correspondientes.

1. hoy en día / actualmente
2. hace cincuenta años
3. la barrera generacional
4. en el hogar
5. no es culpa de nadie
6. aconsejar
7. de una manera útil
8. por otro lado / por otra parte
9. estar de acuerdo
10. en vez de
11. perezosos
12. parecidos
13. no es raro
14. abiertas
15. siempre

1b Vuelva a leer el artículo y contesta a las preguntas en español.

1. No hay tantas diferencias entre padres e hijos.
2. Provoca mucha tensión.
3. Todos en la familia creen que sus opiniones y acciones son las correctas.
4. Van a ayudarles a sus hijos toda la vida.
5. Cuando quieren volver tarde a casa y no pueden y cuando quieren salir con amigos pero sus padres dicen que tienen que estudiar.
6. Se comportan como niños pequeños.
7. más disputas
8. música / tecnología / moda
9. La madre quiere llevar la ropa de la hija.
10. La vida familiar es más relajada que antes.

2 Listen to four people (1–4) talking about the relationship they have with their family. For each one write **P** for a positive relationship; **N** for a negative relationship; **P+N** for a positive and negative relationship.

1 P+N 2 P 3 N 4 P+N

Transcript

1 Mis padres siempre me tratan con cariño y el amor que tienen hacia mí es obvio. Mi hermano menor me molesta a veces pero generalmente me llevo bien con él.

2 No me gustaría cambiar nada de la relación que tengo con mi familia. Nunca nos peleamos.

3 De vez en cuando mi hermana es muy celosa, especialmente con respecto a mi ropa. No aguanto esa actitud.

4 Mi padre está muy orgulloso de mí y lo pasamos estupendamente cuando estamos juntos. Mi madre también es divertida, aunque se pone de mal humor si me olvido arreglar mi dormitorio.

3 Complete the sentences with the correct word from the box below.

1 estamos 2 está 3 soy / Soy 4 estás 5 son 6 es

4 Translate the text into English.

Nowadays many people think that the generation gap isn't as obvious as in the past, but I don't agree. Although I am 16 (years old), my parents treat me like a child and they don't give me (any) freedom. They are not interested in anything I do and I'm fed up with their attitude.

5 Answers will vary.

1.2 Marriage and partnership

1.2 F Planes para el futuro (pp22–23)

1a Lee los horóscopos. Busca las palabras españolas correspondientes.

1. tener suerte
2. un compañero (una compañera) de trabajo
3. este mes
4. sitios
5. buscar
6. decepcionado
7. puede ser
8. cambiar

1b Which horoscope fits each sentence?

1 Cancer 2 Taurus 3 Gemini 4 Leo

2 Complete the sentences with the correct form of *ir*.

1 vamos 2 va 3 van 4 voy 5 vas

3 Answers will vary.

4 Escucha a estas personas (1–6) hablar de sus relaciones de futuro y empareja las personas con las frases.

1 F 2 D 3 G 4 A 5 C 6 H

Transcript

1 Quiero casarme con una chica alta y de ojos azules.
2 No tengo ganas de casarme porque el matrimonio no es importante para mí.
3 Me encantan las bodas y por eso voy a casarme.
4 No me importa tanto el aspecto físico, lo que valoro en una mujer es el sentido del humor.
5 Tengo intención de casarme porque no quiero vivir sola.
6 Lo esencial en la vida es la felicidad. Si soy feliz estando casada, ¡perfecto! Si soy feliz siendo soltera, ¡también perfecto!

5 Read this extract from José's blog and answer the questions in English.

1 It's bad.
2 Lots of married people have a bad relationship. / It's boring.
3 To marry a rich woman when he's 20
4 It's stupid.
5 Weddings are expensive.
6 Live alone
7 It's boring – it's more interesting to live with a partner and not get married.

6 Answers will vary.

1.2 H Las relaciones de hoy en día (pp24–25)

1 Lee el artículo y contesta a las preguntas en español.

1 Encontrar pareja.
2 Que conoce a alguien que ha encontrado pareja a través de estas páginas.
3 Cuando no hay muchos compañeros de trabajo solteros
4 viudos, jubilados, tímidos
5 Entre 30 y 40 años
6 una pareja que se conoció por internet
7 Trabaja desde casa.
8 que son increíbles
9 que son emocionantes
10 Van a casarse.

2 Listen to four people (1–4) talking about modern relationships. Give details about what each person says.

1 There is no such thing as a typical family nowadays. / The speaker is married to another woman. / People's attitude to this is good. (any two)
2 He has traditional views on marriage. / It's better for the children if their parents are married. / He doesn't agree with unmarried couples.
3 He loves the fact that there are lots of Spanish mixed race couples.
4 She's against marriage / because many married couples stay together when they are unhappy

Transcript

1 Lo bueno de las relaciones actualmente es que hay diversidad de relaciones. Yo estoy casada con otra mujer y las opiniones de la gente con respecto a esto son muy buenas. Esto me alegra porque soy un poco sensible cuando alguien habla mal de nuestra relación.
2 Soy muy tradicional con respecto al matrimonio. Creo que para una pareja es importante casarse porque es mejor para los hijos. No estoy de acuerdo con las parejas que no se casan.
3 Lo que a mí me encanta es que hoy en día vemos a muchas parejas españolas en las que el color de la piel del hombre y de la mujer es diferente.
4 Yo estoy completamente en contra del matrimonio porque ves a muchas parejas casadas que no son felices y aún así siguen juntas. No lo entiendo.

3 Translate these sentences into **Spanish**. The adjectives you need are in the box below, in their masculine singular form.

1 Su novio inglés va a visitarla / la visitará dentro de dos semanas.
2 Creo que su mujer es encantadora.
3 Mi hermano y su familia a menudo comen con nosotros. Sus hijos son muy glotones.
4 En España hay muchas páginas de citas.
5 Su marido es muy trabajador.
6 Siempre me llevo bien con las chicas habladoras.

4 Answers will vary.

5 Translate the following text into English.

Online dating sites are very important today, especially for people who find it difficult to meet new people. I love these sites because you can look for a partner among thousands and choose the person who seems perfect for you. On the other hand, you have to pay to use them.

Grammar practice (pp26–27)

1 Complete the sentences. Use the words in the box (two words are not needed).

1 se 2 llevo 3 Te 4 pelean 5 nos 6 se

2 Complete the sentences with the verbs. Use the present tense. Then translate the sentences into English.

1 se porta 2 se comprometen 3 se ocupa 4 Me aburro 5 nos parecemos 6 te llevas

1. Generally, my nephew behaves well.
2. My friend Laura and her boyfriend are getting engaged this Sunday.
3. My father is busy preparing dinner.
4. I get bored easily because I spend so much time at home.
5. I think that my brother and I look like our grandmother.
6. And you, do you get on well with him?

3 Translate the sentences into Spanish.

1. Va a casarse con Manolo, que es viudo.
2. Los demás, que viven en Argentina, van a llegar pronto.
3. Van a casarse en la iglesia que ves / se ve por allí.
4. El hombre que conoce es muy orgulloso.
5. Vamos a ver al hombre que está casado con Elisa.

4 Translate the sentences into English.

1. My grandad often writes me a letter.
2. My brother is going to live in Mexico. I'm going to miss him.
3. They always thank you when you help them.
4. María annoys us because she's selfish.
5. I'm going to give you the invitation tomorrow.
6. Sometimes his mother doesn't understand him.

5 Rewrite the sentences below, replacing the underlined words with object pronouns.

1. **Le** mando mensajes diez veces al día.
2. Creo que **nos** odia.
3. Siempre **les** da un beso.
4. Normalmente **lo** compra.
5. Me gusta visitar**le**.
6. Vamos a ver**lo** mañana.

6 Put the sentences in the correct order. Each one contains a direct and an indirect object pronoun.

1. Se lo digo siempre.
2. Me la da de vez en cuando.
3. Nos los mandan a diario.
4. ¿Te lo ha enviado?
5. Me lo dice cuando voy a su casa.

Unit 2: Technology in everyday life

2.1 Social media

2.1 F ¿Cómo prefieres mantenerte en contacto? (pp30–31)

1 Listen to four people (1–4) giving their opinion about social media. Write **P** if they have a positive opinion, **N** for a negative opinion and **P+N** for a positive and negative opinion.

1 P+N 2 N 3 N 4 P

Transcript

1. Paso muchas horas en Facebook durante la semana y es una manera sencilla y divertida de mantenerme en contacto con lo que pasa en tu vida social.
2. He pasado mucho tiempo en las salas de chat y la opinión que tengo de ellas no es buena. Hay demasiados riesgos, especialmente porque a menudo no sabes con quién hablas.
3. A mis amigos les encanta Twitter y siempre dicen que es la mejor red social que hay. Por otro lado, lo que me molesta es que solo puedes escribir mensajes muy cortos.
4. Nunca he usado Facebook ni Twitter y me mantengo en contacto con mis amigos y parientes por correo electrónico. Lo encuentro muy útil y rápido y no hay ningún inconveniente.

2a Lee este artículo de un blog. Busca las frases españolas correspondientes.

1 he decidido
2 los medios sociales
3 he colgado
4 el aspecto de la gente cambia
5 es menos interactivo
6 tampoco me gusta
7 sin embargo
8 acabo de empezar
9 no estoy seguro
10 la pantalla
11 gratis

2b Contesta estas preguntas en español.

1 desde varios años
2 Puedes comunicarte con todos tus contactos al mismo tiempo.
3 Puedes escoger a las personas que van a verlo.
4 El aspecto de la gente cambia.
5 Es menos interactivo. / Hay un límite en el número de letras que puedes usar en un mensaje.
6 Es genial ver qué hacen tus famosos favoritos y leer sobre las discusiones que tienen.
7 porque acaba de empezar a usarlo
8 La pantalla es más grande.
9 nada (es gratis)

3 Choose the correct form of the verb *haber* and the past participle of the verb in brackets to complete the sentences.

1 hemos chateado 2 ha decidido 3 han mandado 4 he tenido 5 has podido 6 habéis comprado

4 Translate these sentences into Spanish.

1 Recientemente he empezado a usar Twitter.
2 Creo que es menos divertido que otras redes sociales.
3 Solo puedes enviar / mandar mensajes cortos.
4 Instagram es mejor.
5 Es genial / estupendo colgar mis fotos.
6 Facebook es mi favorita porque es más interactivo.

5 Answers will vary.

6 Answers will vary.

2.1 H Las redes sociales ¿buenas o malas? (pp32–33)

1a Lee el artículo de una revista española. Busca las palabras y frases españolas correspondientes.

1 usuarios 2 compartir 3 gratuita 4 desarrollo 5 acosar 6 un seguidor 7 comportamientos

1b Read the article again and choose the correct answers.

1 b 2 b 3 c 4 c 5 a

2 Listen to four people (1–4) talking about social media. For each one, what is the best thing about social media?

1 c 2 b 3 a 4 b

Transcript

1 A mi juicio, los medios sociales son fantásticos. El que más me gusta es Twitter porque los mensajes cortos hacen que sea un medio de comunicación muy rápido. Además me encanta Facebook porque veo lo que hacen mis amigos y también Skype ya que me divierto hablando y viendo al mismo tiempo a familia y amigos.

2 Colgar fotos en Instagram es una de mis actividades favoritas y últimamente he pasado mucho tiempo haciéndolo. Sin embargo, mi interés principal es la música y paso aun más tiempo viendo vídeos en YouTube. Las salas de chat son también fenomenales.

3 Es muy interesante compartir vídeos en sitios como YouTube y es algo que me apasiona. Sobre todo me gusta hablar por vídeo con mi familia que vive en otros países porque les echo de menos. También puedo hacerlo por correo electrónico pero no es tan emocionante.

4 Estoy muy orgulloso del blog que he creado para ayudar a mejorar mi ciudad. Ha tenido mucho éxito. Uso las redes también para mantenerme en contacto regularmente con mis amigos. Pero en mi opinión lo más divertido de las redes sociales son los juegos.

3 Translate these sentences into Spanish.

1. He dejado de usar Instagram.
2. Trata de hablar con su familia que vive en Francia.
3. Acabamos de chatear con nuestros amigos que viven en Málaga.
4. Su padre insiste en apagar el ordenador antes de las nueve.
5. He soñado con comprar un móvil nuevo.

4 Answers will vary.

5 Answers will vary.

6 Translate this text into English.

Social networks have many advantages for their users but there are also risks. The main advantage is that you have the opportunity to chat with friends all the time without having to leave the house. However, when teenagers spend too much time on these sites (networks), the level of their school work is always lower than it was before.

2.2 Mobile technology

2.2 F La tecnología portátil (pp34–35)

1 Read this article from a Mexican magazine. Which of the statements (a–h) are correct, according to the article?

b d e h

2 Write down the four examples of the present continuous tense in the passage in activity 1 and translate them into English.

están comprando (*they are buying*)

estás andando (*you are walking*)

está ayudando (*it is helping*)

estás trabajando (*you are working*)

3 Choose the correct form of *estar* to complete the sentences.

1 está 2 estamos 3 estoy 4 están 5 estás 6 estáis

4 Escucha la conversación entre María y Tomás y escoge la respuesta correcta.

1 a 2 b 3 c 4 b 5 c 6 a

Transcript

— ¿Qué estás haciendo, Tomás?

— Estoy borrando algunos archivos de mi disco duro.

— ¿Por qué?

— No tengo mucho espacio y voy a descargar algunas canciones de mis grupos favoritos.

— Vas a comprar una tableta nueva, ¿no?

— De momento no estoy seguro ya que mis padres dicen que van a comprarme una para mi cumpleaños. La desventaja de eso es que solo estamos en mayo y tengo que esperar tres meses.

— Yo estoy harta de los correos electrónicos. Estoy recibiendo demasiado correo basura y lo odio. Creo que voy a cambiar de email.

— ¡Suerte, María! Creo que todos son iguales.

5 Answers will vary.

6 Translate these sentences into Spanish.

1. Saco muchas fotos con la tableta.
2. Prefiero mandar correos electrónicos que mensajes de texto.
3. Estamos ayudando a los niños a usar el portátil.
4. Odio el correo basura.
5. La tecnología móvil es muy importante para todo el mundo.

2.2 H ¿Podrías vivir sin el móvil y la tableta? (pp36–37)

1 Your Spanish friend, Bruno, has answered this magazine questionnaire about mobile technology. Look at what Bruno has circled. What does he say about issues 1–5 below? Answer in English.

1. He does it so many times that he doesn't know how often he does it.
2. He doesn't do it because he doesn't have a credit card.
3. He gets very worried if he can't get access.
4. He gets very annoyed if he only has 1%.
5. If he loses his connection he runs somewhere to get a signal.

2 Escucha a cuatro personas (1–4) hablando sobre su experiencia con la tecnología móvil. ¿Qué opinan? Escribe **P** si tienen una opinión positiva; **N** si tienen una opinión negativa; y **P+N** si tienen una opinión positiva y negativa.

1 N 2 P 3 P+N 4 N

Transcript

1 Hay mucha gente cuyo móvil es su posesión más importante. Para mí es todo lo contrario porque creo que los móviles nos vuelven perezosos y pasamos el tiempo jugando en ellos en vez de hacer algo más cultural.

2 Como tengo tantos amigos cuya casa está muy lejos de la mía, encuentro muy útiles el móvil y la tableta para felicitarles por Navidad o por su cumpleaños. Sería muy difícil hacerlo cara a cara.

3 La conexión inalámbrica es esencial hoy en día para muchísimas cosas. Para mí es imprescindible cuando tengo que ponerme en contacto con mis compañeros de trabajo. Aparte de esto, la vida es mejor sin ella.

4 Tengo una amiga cuyo nuevo portátil tiene una conexión a internet muy rápida y dice que le encanta. El mío es viejo y lento y todas mis experiencias con tabletas no han sido positivas por una razón u otra.

3 Choose the correct word for 'whose' in these sentences.

1 cuyo 2 cuyas 3 cuya 4 cuyos 5 cuya

4 Translate the sentences in activity 3 into English.

1 I have given my old tablet to Paula, whose laptop has broken.
2 The site I like most is *Amiguetes*, whose chatrooms are great fun.
3 I'm going to chat with Susana, whose sister has got married recently.
4 My best friend is Simón, whose emails make me laugh.
5 Congratulations to the company *Chatísimo*, whose new digital magazine is fantastic.

5 Answers will vary.

6 Answers will vary.

Grammar practice (pp38–39)

1 Complete these sentences with *había* or *era*. Then translate them into English.

1 había 2 era 3 era 4 era 5 Había 6 había

1 Twenty years ago there was no Facebook.
2 My old mobile was better than the one I've got now.
3 I think the internet was better without so many adverts.
4 It wasn't easy to use computers before / in the past.
5 There were a lot of people in the shopping centre.
6 In the shop there were some computers with enormous screens.

2 Translate these sentences into Spanish.

1 He roto mi nuevo móvil.
2 Han abierto una tienda que vende todas las marcas de móvil.
3 Hemos hecho muchos amigos en las redes sociales.
4 ¿Has escrito el correo electrónico a Cristina?
5 No he visto la página de inicio.
6 Mi padre me ha dicho que va a comprar el último modelo.

3 Translate these questions into Spanish.

1 ¿Usas mucho Instagram?
2 ¿Cuánto es / cuesta un móvil nuevo?
3 ¿Dónde ves la tele(visión)?
4 ¿Por qué prefieres un portátil a un ordenador?
5 ¿Cuál es tu red social favorita?
6 ¿Te gusta navegar por internet?

4 Complete these sentences with a suitable question word.

1 Por qué 2 Cuándo 3 Dónde 4 quién 5 Qué 6 Cuántas

5 Complete these sentences with *por* or *para*.

1 por 2 para 3 por 4 para 5 para 6 por

6 Translate this passage into English.

A little while ago I saw my cousin's mobile and, because my mobile is broken, I have decided that I am going to save money to buy the model that he has. If I do a lot of work for my parents, I think I can have enough money by March. Therefore I am going to start to do the jobs next weekend. Do you think it's a good idea?

Test and revise: Units 1 and 2

Reading and listening

Higher – Reading and listening (pp42–43)

1 Complete the text with the words in the box.

1 tenido 2 cuyo 3 ha 4 mal 5 llevar 6 nueva 7 para 8 sus 9 voy 10 su

2 En una revista ves este artículo sobre la vida futura de estos jóvenes. Contesta a las preguntas en **español**.

1 el hombre de sus sueños
2 Los padres de muchos de sus amigos tienen mala relación / no se llevan bien.
3 Tiene mucho tiempo para pensar en su futuro.
4 No sabe qué pensar. / No está seguro.
5 No son (nada) graves.
6 sus parientes y sus amigos

3 Read the comments from different blogs on the next page. Which summary (A–F) goes with each blog? There is only one correct summary for each blog.

1 E 2 C 3 A

4 Translate this text into **English**.

I have seen on the internet that many teenagers are addicted to their mobile. Some experts have said that this is going to be even worse in the future because they think that we are going to use mobiles, or similar things like tablets, for nearly everything. Older people are also using mobiles more, for example to do their shopping online.

5 Escucha a dos personas que hablan de las ventajas y las desventajas de las redes sociales. Para cada persona, escribe la letra del aspecto positivo y el número del aspecto negativo que mencionan.

1 Aspecto positivo D — Aspecto negativo 1
2 Aspecto positivo B — Aspecto negativo 4

Transcript

1 Lo bueno de las redes sociales es que no tienes que pagar nada. En cambio, paso tanto tiempo chateando con mis amigos que no encuentro tiempo para hacer cosas más importantes.

2 Mis padres tienen razón cuando dicen que en las redes sociales corres el riesgo de chatear con gente que no sabes exactamente quién es. A pesar de esto lo paso genial cuando estoy en contacto con mis compañeros en línea. ¡Me hacen reír tanto!

6 Listen to a conversation between two friends, Lucía and Carlos, and answer the questions in **English**.

1 He can't stand David's attitude towards his girlfriend. / He thinks David reacts badly when he goes out with her.
2 because David is very understanding with her / because she has never had problems with him
3 three or four times
4 She will talk to David to see what the problem is.

Transcript

Carlos, me han dicho que ya no eres amigo de David. ¿Qué pasa?

Es un poco difícil de explicar, Lucía, pero no aguanto su actitud hacia mi novia. Me parece que reacciona mal si salgo con ella.

Esto es raro, ¿no? Conmigo es muy comprensivo y nunca he tenido problemas con él.

Sí, todos piensan así, pero conmigo no es igual. Y no es la primera vez que pasa. Las últimas tres o cuatro veces que he salido con mi novia, David se ha comportado de la misma manera y estoy harto.

Todo esto es muy triste, Carlos, porque sois buenos amigos desde hace muchos años. Voy a hablar con él para ver cuál es el problema.

Gracias, Lucía.

Writing and translation

Higher – Writing and translation (pp44–45)

1a Un amigo español quiere saber tu opinión sobre las redes sociales y la tecnología móvil. Escríbele un correo electrónico.

Suggested answer

¡Mi móvil es mi vida! Lo uso todos los días para charlar con amigos, enviar mensajes de texto y colgar fotos en Instagram. Ayer pasé muchas horas en el móvil. He descargado un nuevo juego y es fantástico y muy adictivo. No me dormí hasta las dos.

Creo que las redes sociales son fenomenales. A mis amigos les gusta más Facebook pero yo prefiero Twitter porque solo puedes mandar mensajes cortos y no tienes que leer cosas muy aburridas. En mi opinión, en el futuro todas las redes sociales van a ser como Twitter. A veces las redes sociales pueden ser un poco peligrosas, cuando los adolescentes chatean con gente que no conocen.

1b Tienes un nuevo amigo colombiano. Escríbele una carta.

Suggested answer

La mayor parte del tiempo tengo buena relación con mi familia porque todos son muy simpáticos. Sin embargo, mi hermano me fastidia cuando es egoísta. Mis amigos también son importantes para mí porque puedo hablar con ellos de cosas personales y sociales.

Por desgracia la semana pasada tuve una discusión con mi mejor amiga y ahora no me habla. Estoy muy decepcionada porque el sábado que viene vamos a ir a la misma fiesta y va a ser muy difícil. Lo bueno es que todos mis otros amigos van a estar allí y lo pasaré bien con ellos.

2a Una revista digital tiene un concurso sobre el mejor artículo sobre la tecnología móvil y las redes sociales. Decides participar. Escribe a la revista.

Suggested answer

Las redes sociales tienen mucho éxito entre gente de todas las edades porque puedes comunicarte con tus amigos; en las redes no importa la edad, solo se necesita tener acceso a internet. En mi familia es una gran ventaja para los mayores porque los amigos de mis padres, por ejemplo, ahora viven lejos, algunos en el extranjero. También es una ventaja para los jóvenes porque, si tienen que hacer muchos deberes, no pueden salir de casa a menudo.

Desde hace unos años mi relación con la tecnología ha cambiado. Ahora uso siempre las redes sociales en el móvil. Ya no uso el portátil para eso porque el modelo de móvil que tengo ahora es genial y no necesito nada más. Aparte de entrar en Facebook, uso el móvil para colgar fotos en Instagram. Es muy divertido ver las fotos de mis amigos y tengo suerte porque nunca recibo comentarios negativos. En el pasado había unos comentarios poco positivos de amigos mios, pero ahora ya no los recibo.

2b Tu primo va a casarse pronto y decides escribir un correo electrónico a un amigo español diciéndole lo que piensas sobre el matrimonio.

Suggested answer

Mi primo va a casarse pronto y no sé si es una buena decisión porque solo tiene veintiún años. No estoy en contra del matrimonio porque, cuando dos personas se aman y quieren pasar la vida juntas, es lo mejor. Además, si van a tener hijos en el futuro, es un ambiente más seguro para ellos. Sin embargo, creo que casarse tan joven como mi primo es un poco estúpido porque hasta hace dos meses era estudiante y no tiene trabajo ni casa. Por eso él y su mujer van a vivir en casa de sus padres y eso va a ser una pesadilla, en mi opinión. Si vas a casarte necesitas tu propia casa.

Mis padres están casados más de veinte años y generalmente son muy felices. No obstante esta mañana han tenido una disputa bastante grave sobre una tontería y me he preguntado si vale la pena el matrimonio.

3 Translate this text into **Spanish**.

Suggested answer

Normalmente mis padres se llevan muy bien. Sin embargo, últimamente han tenido varias disputas. Por eso, he decidido que no voy a casarme. No me gusta la idea de las páginas de citas. Creo que pueden ser peligrosas. En cambio, mi tío sale con una mujer de uno de esos sitios y parecen muy contentos.

Speaking

Higher – Speaking (pp46–47)

1 Answers will vary.

2 Answers will vary.

3 Answers will vary.

4 Answers will vary.

Unit 3: Free-time activities

3.1 Music, cinema and TV

3.1 F ¿Qué haces en tu tiempo libre? (pp48–49)

1a Which person (A–H below) does one the following activities?

1 D 2 F 3 H 4 G 5 A 6 E 7 C 8 B

1b Read A–H again. Which time phrases occur in the statements?

1 D 2 C 3 B 4 F 5 A 6 E 7 G 8 H

2a Listen to eight friends talking. Which pastimes are they describing? Use activities 1–8 from activity 1a.

1 4 2 3 3 2 4 6 5 5 6 1 7 8 8 7

2b Listen again. Which time phrase does each one use? Use the numbers from activity 1b.

1 8 2 1 3 6 4 5 5 3 6 4 7 7 8 2

Transcript

1 Javier

Todas las tardes toco el piano. Lo que más me gusta tocar es música clásica.

2 Carla

Siempre bailo cuando voy a la discoteca.

3 Marc

A veces canto con mis amigos en un coro.

4 Mar

De vez en cuando voy a algún concierto en la ciudad.

5 Mary-Luz

Todos los días leo novelas policíacas.

6 Curro

Todas las semanas toco la guitarra con la banda.

7 Andrea

Por lo general escucho música después de terminar los deberes.

8 Simon

Muchas veces charlo con mis amigos por internet.

3 Lee la lista de los programas de televisión. Empareja cada descripción con su equivalente en inglés.

1 Serie policíaca 2 Comedia 3 Dibujo animado 4 Noticias 5 Telenovela 6 Película de ciencia ficción 7 Documental

4 Escucha a estas personas hablar de los programas que les gustan y de los que no les gustan. Completa la tabla.

Nombre	Le gustan	No le gustan
1 Luis	dibujos animados	documentales
2 Noelia	comedias	series policíacas
3 Enrique	noticias	telenovelas
4 Julia	películas de ciencia ficción	películas románticas
5 Rafael	documentales	dibujos animados

Transcript

1 Yo creo que los documentales son muy aburridos. Me gustan más los dibujos animados.

2 Mis programas favoritos son las comedias. Las series policíacas me parecen tristes.

3 Las telenovelas son tontas. Es mucho más importante ver las noticias.

4 Me interesan mucho las películas de ciencia ficción. Nunca veo películas románticas.

5 Odio los dibujos animados pero algunos documentales me encantan.

5 Read the text and complete the grid.

Day	Activity
Monday	Singing
Tuesday	Playing the piano
Wednesday	Listening to music
Thursday	Watching television
Friday	Dance class
Saturday	Reading
Sunday	Chatting on the internet

6 Translate these sentences into Spanish.

1 Por lo general, los domingos escucho música por la tarde.
2 Muchas veces, los martes, canto con mi banda.
3 A veces, los viernes, voy a clases de baile.
4 Los fines de semana, siempre leo alguna novela.
5 De vez en cuando, los sábados toco la guitarra con un(a) amigo/a.

7 Answers will vary.

3.1 H Hablando del tiempo libre y de los planes (pp50–51)

1 Read the first two sections of the text and answer the questions in English.

1. She walks on the beach with her two dogs.
2. It's relaxing and she likes being in the open air.
3. She goes to dance classes.
4. It's fun and she likes to be fit.
5. She goes out to eat with her parents.
6. on Thursdays, with a friend
7. rest and read
8. giving a concert in the stadium in the city / town
9. great and very exciting

2 Lee la última sección del texto e identifica las cuatro frases correctas.

2 3 4 7

3 Translate the sentences into Spanish.

1. El viernes espero ir al cine.
2. El sábado por la mañana tengo que tocar el piano.
3. Por la tarde quiero ver la telenovela por televisión.
4. Esta noche quiero escuchar música.
5. Mañana espero ir a clase de baile.
6. El lunes tengo que ver un documental.
7. Pienso ir a un concierto el fin de semana.
8. En el futuro quiero cantar en una banda.

4 Listen to the conversations (1–8). What invitation is made? Is it accepted or rejected? Why? Complete the grid.

	Invitation	Reject (R) or Accept (A)	Reason
1	Go to cinema	R	Going to a concert
2	Play in the band	A	Entertaining
3	Watch romantic film on TV	R	Dad wants to watch documentary
4	Go to a nightclub	R	Singing with the band
5	Go to a concert	A	Exciting
6	Listen to music	A	Relaxing
7	Go for a walk	R	Piano class
8	Go to the cinema	A	Interesting film

Transcript

Ejemplo: ¿Quieres ir a la discoteca este viernes, Luz?

No, no quiero, Daniela. Los viernes veo mi telenovela favorita.

1 ¿Quieres ir al cine este sábado, Enrique?

No, no puedo. Voy a un concierto con mi hermano. Otro día, ¿vale?

2 ¿Te gustaría tocar en la banda conmigo, Carlos?

Sí, Jaime, me encantaría. Estar en la banda será muy entretenido.

3 ¿Quieres ver esta película romántica en la tele, mamá?

No, no podemos. Tu padre quiere ver un documental.

4 ¿Quieres ir a la discoteca el viernes, Lucía?

El viernes canto en la banda, Iván. Lo siento.

5 ¿Quieres ir a un concierto este jueves, Miguel?

Sí, me encantaría. Será muy emocionante.

6 ¿Quieres escuchar un poco de música, Elisa?

Sí, me gustaría mucho. Escuchar música es muy relajante.

7 ¿Quieres dar un paseo conmigo, Paula?

No, Esteban, no puedo. Tengo que ir a clase de piano.

8 ¿Quieres ir al cine este sábado, Enrique?

Sí, buena idea. Ponen una película muy interesante.

5 Answers will vary.

6 Answers will vary.

3.2 Food and eating out

3.2 F Vamos a comer fuera (pp52–53)

1 Sort the following items into four categories: (1) meat, (2) fish or seafood, (3) vegetarian and (4) drinks.

Meat	Fish / Seafood	Vegetarian	Drinks
el chorizo	el bocadillo de atún	los champiñones	el agua con gas
el jamón serrano	los calamares	el queso	el agua sin gas
	las gambas	la tortilla de patata	la cerveza
	las sardinas		la limonada
			la naranjada
			la sangría
			el vino blanco
			el vino tinto

2 Listen to a waitress placing six orders (1–6) in a Spanish café. Match each order to the trays of food below.

1 C 2 E 3 B 4 A 5 F 6 D

Transcript

1 Para la mesa uno, un vino blanco, una cerveza, sardinas y jamón serrano.

2 Para la mesa dos, chorizo, queso, una sangría y una limonada.

3 Para la mesa tres, una ración de gambas, una de calamares, una naranjada y un vino blanco.

4 Para la mesa cuatro, un bocadillo de atún, una ración de jamón serrano, un vino tinto y una naranjada.

5 Para la mesa cinco, un vino blanco, una ración de calamares, una de tortilla de patata y un vino tinto.

6 Para la mesa seis, una ración de champiñones, una de tortilla, una cerveza y una limonada.

3 Trabaja con un(a) compañero/a. Pide estas cosas en un café. Usa el ejemplo como modelo.

2 Para mí, una limonada, una ración de tortilla de patata y una de chorizo.
3 Para mí, un agua mineral sin gas, una ración de gambas y una de jamón serrano.
4 Para mí, una naranjada, una ración de queso y una de sardinas.
5 Para mí, un agua con gas y un bocadillo de atún.
6 Para mí, una limonada, una ración de jamón serrano y una de champiñones.

4 Listen to four friends ordering their food from the menu on the right. Complete the grid. Include what they order to drink.

	Starter	Main	Dessert
Ana	tuna salad	beef steak	chocolate ice cream
Bea	green beans with ham	lamb chops	pineapple
César	onion soup	seafood paella	strawberry yoghurt
David	spaghetti in tomato sauce	chicken and chips	peach

Drink: a bottle of sparkling mineral water

Transcript

— Buenas tardes. ¿Qué van a tomar?

— Tú primero, Ana.

— Yo quiero la ensalada de atún, después un bistec y de postre un helado de chocolate. ¿Qué vas a tomar, Bea?

— Para mí, de primero las judías verdes con jamón, de segundo las chuletas de cordero y, de postre piña.

— ¿Y para ti, César?

— De primero sopa de cebolla, de segundo la paella de mariscos y después un yogur de fresa. Qué quieres, David?

— Yo voy a tomar los espaguetis con salsa de tomate. De segundo quiero pollo con patatas fritas y, de postre un melocotón.

— ¿Qué quieren para beber?

— Una botella de agua mineral con gas.

5 Mira el menú. Adapta las cosas para decir las siguientes frases.

1 ensalada de jamón
2 sopa de tomate
3 bacalao con patatas fritas y judías verdes
4 yogur de piña
5 helado de fresa
6 pollo con guisantes

6 Translate these sentences into Spanish.

1 Normalmente tomo ensalada, pero hoy quiero sopa.
2 Desafortunadamente las judías están frías.
3 Generalmente, las gambas aquí son deliciosas.
4 Desafortunadamente, la comida está mal.
5 Ricardo come aquí frecuentemente

7 Answers will vary.

3.2 H Una cena especial (pp54–55)

1a Lee el texto. Busca las frases correspondientes.

1 aniversario de boda
2 no se ponen de acuerdo
3 a cada uno le gusta
4 comida basura
5 como él la llama
6 los platos bastante picantes
7 gustos más tradicionales
8 deciden dejar

1b Read the text again and answer the questions.

1 parents' 25th wedding anniversary
2 They can't agree on where to eat.
3 Chinese food

4 Burger and chips, ice cream
5 He calls it junk food.
6 Indian
7 It's tasty and he likes quite spicy food.
8 more traditional
9 tasty dishes / food and the waiters are attentive and nice
10 Spanish restaurant

2 Escucha a cinco personas (1–5) hablando sobre su experiencia en un restaurante. ¿Cuál es su opinión? Escribe **P** si tienen una opinión positiva; **N** si tienen una opinión negativa; y **P+N** si tienen una opinión positiva y negativa.

1 N 2 P 3 N 4 P+N 5 P+N

Transcript

1 Aquí no voy a volver. La sopa está fría y las gambas están demasiado picantes.

2 La paella está muy rica y los camareros son muy simpáticos. Me parece genial.

3 Yo creo que es mejor comer en casa. Aquí en el restaurante, la comida ni está bien preparada ni es sabrosa.

4 El pollo está demasiado salado – no se puede comer – pero me encanta la ensalada.

5 Las sardinas están deliciosas aunque las raciones son muy pequeñas.

3 Complete the sentences with the correct form of the verb in the immediate future.

1 Vamos a comer 2 Vais a cocinar 3 Voy a reservar 4 van a celebrar / va a preparar 5 Vas a comprar

4 Listen to four friends discussing what they are going to bring to their party. Match each person to what they are going to bring.

1 b c 2 e 3 f 4 g a 5 i 6 h d

Transcript

Adrián, ¿qué vas a traer a la fiesta?

Voy a preparar una tortilla española grande y voy a comprar aceitunas.

Y tú, Belén, ¿qué vas a hacer?

Voy a preparar un pollo y mi madre va a hacer una ensalada de arroz.

Cristóbal, ¿vas a contribuir con algo?

Claro. Voy a comprar chorizo y queso y mi hermana va a hacer un pastel.

¿Qué planes tienes tú, Débora?

Pues, mi hermano y yo vamos a preparar un plato de gambas y vamos a hacer una sangría de fruta.

5 Translate these sentences into Spanish.

1 ¿Vais a comprar las aceitunas y el jamón (serrano)?
2 Es nuestro aniversario y vamos a reservar una mesa para las nueve.
3 Mi hermana va a preparar una paella grande para la fiesta del domingo.
4 No van a servir carne porque sus amigos son vegetarianos.
5 ¿Vas a probar el chorizo? Es muy sabroso / rico y bastante picante.
6 Mis padres van a comer en un restaurante chino este sábado.

6 Answers will vary.

3.3 Sport

3.3 F ¿Qué deporte harás? (pp56–57)

1 Pablo está organizando una semana de actividades. Escucha. ¿En qué orden las hará?

D B C A E

Transcript

Primero, iré al gimnasio – es una buena actividad para empezar la semana. Al día siguiente, haré esquí en las montañas al norte de la ciudad. Al día siguiente haré vela en la costa cerca de mi casa. Antes de terminar la semana iré otra vez a las montañas para hacer alpinismo; será muy divertido. Finalmente, pasaré un día muy relajante porque iré a pescar. ¡Qué semana más emocionante!

2 Read statements 1–6. Match each one to the correct pair of sentences below.

1 2 e 2 4 f 3 5 b 4 6 c 5 1 d 6 3 a

3 Answers will vary.

4 Escucha a estas personas hablar de deporte. ¿Qué deporte practican ahora? ¿Qué deporte practicarán en el futuro? Copia y completa la tabla en español.

	Deporte ahora	Deporte en el futuro
1	nadar / ir a la piscina	ir al gimnasio
2	baloncesto	alpinismo
3	ciclismo	vela
4	atletismo	pesca
5	equitación	esquí

Transcript

1 Normalmente voy a la piscina los martes, pero mañana iré al gimnasio con mi hermana.

2 Por lo general juego al baloncesto, pero la semana próxima probaré el alpinismo.

3 Cada domingo hago ciclismo, pero este fin de semana haré vela.

4 Hago atletismo dos veces a la semana pero este viernes iré a pescar.

5 Normalmente, me gusta hacer equitación, pero este invierno haré esquí.

5 Paloma and Silvia are twins. Read about their sporting interests and answer the questions. Write **P** (Paloma), **S** (Silvia) or **P+S** (Paloma and Silvia).

1 P 2 P+S 3 P+S 4 P+S 5 S 6 P 7 P 8 S 9 P 10 P

6 Complete the text with the future form of the verbs.

1 irán 2 hará 3 probará 4 participarán 5 daré 6 harás 7 jugaré 8 estarán 9 decidirán 10 dormirá

3.3 H El deporte en el mundo (pp58–59)

1a Read the interview and answer the questions.

1 a 2 b 3 c 4 c 5 a 6 b 7 c

1b The interview contains a number of verbs in the future tense. Some have irregular forms. Find these verbs in the text and write them down.

1 empezará 2 entrenaremos 3 dirá 4 dejaré de 5 comeré 6 dormiré 7 pasaré 8 saldrán 9 tendré que 10 podré 11 llegará 12 no querré 13 sabré 14 pondré

1c On your verbs list from activity 1b, highlight the regular verbs in one colour and the irregular vebs in another colour.

Regular: empezará / entrenaremos / dejaré / comeré / dormiré / pasaré

Irregular: dirá / saldrán / tendré que / podré / llegará / (no) querré / sabré / pondré

2 Translate these sentences into Spanish.

1 Querrá patinar en la pista de patinaje.
2 Podrán probar el piragüismo.
3 Vendré al gimnasio.
4 Iremos a hacer vela el sábado.
5 ¿Sabrás si hay partido?

3 Escucha a cuatro personas (1–4) hablar de su deporte favorito. ¿Qué deporte describen?

1 C 2 E 3 B 4 D

Transcript

1 Esta tarde jugamos un partido contra otro instituto. Creo que marcaremos varios goles porque este año tenemos un equipo muy bueno.

2 Todas las mañanas corro por las calles para entrenar. Escucho música cuando estoy corriendo ¡pero no cuando participo en una carrera en el estadio!

3 Practico en las canchas del parque y normalmente juego con mi hermano. A veces se me rompe la raqueta y muchas veces perdemos pelotas.

4 Es un deporte bastante caro pero me encanta estar en las montañas nevadas y al aire libre. Es muy emocionante bajar las pistas rápidamente.

4 Read this magazine extract and list in English nine different benefits of sport for young people.

1 Young people learn the importance of discipline.
2 Young people learn the importance of effort / hard work.
3 It develops a competitive nature which, in moderation, can be beneficial.
4 Boys and girls learn to enjoy winning and grow strong through defeats.
5 Young people learn to rely on others.
6 They develop social skills.

7 They learn the importance of respecting authority.
8 They learn the need to follow rules.
9 They learn to respect their rivals.

5 Answers will vary.

Grammar practice (pp60–61)

1 Complete the sentences with the present tense of the verb in brackets. Then translate them into English.

1 ven 2 va 3 veo 4 Tienes 5 voy 6 tiene 7 hago 8 doy 9 salgo 10 doy

1 My friends watch science fiction films.
2 Ricardo goes to the sports centre with his father.
3 Normally I watch TV in the evenings.
4 Have you got time to go to the cinema this weekend?
5 I go shopping with my friend on Saturdays.
6 Rubén's got a new computer.
7 On Sunday afternoons, I do a lot of homework.
8 I sometimes go for a walk with the dog in the countryside.
9 I go out with my friends at the weekends.
10 I give dance classes to small girls.

2 Complete the sentences with the correct form of the verb in brackets. Then translate them into English.

1 juega 2 Queremos 3 piden 4 Quieres 5 juego 6 pide 7 Quieren 8 jugamos 9 pido 10 Queréis

1 On Sundays he plays football in the park.
2 We want squid and prawns.
3 They always order water for dinner.
4 Do you want to have dinner with me tonight?
5 I normally play basketball on Fridays.
6 He usually orders coffee after dinner.
7 They want to watch a science fiction film.
8 We play tennis with friends at weekends.
9 I always order paella in this restaurant.
10 Do you want to go to the concert this Saturday?

3 Complete the sentences with the correct words.

1 para ella 2 para ellos 3 para mí 4 para ti 5 para nosotros 6 para vosotros 7 para nosotros 8 para él 9 conmigo? 10 con nosotros 11 con ellos 12 contigo

4 Translate these sentences into Spanish.

1 Acaba de salir.
2 Vuelve a pedir la carta.
3 Suelen esquiar en febrero.
4 Acabamos de cenar.
5 Vuelven a ver la película.
6 Suelo tomar el desayuno en la cocina.
7 Acaban de preparar la comida.
8 Vuelvo a escuchar la canción.
9 Solemos ir al gimnasio los lunes.
10 Acabo de preparar el café.

5 Complete the sentences with the correct words.

1 habrá 2 saldremos 3 harán 4 Tendrás 5 habrá 6 Haré 7 saldrá 8 Tendremos 9 Saldrás 10 tendrán

6 Complete the sentences with the correct words.

1 e 2 e 3 y 4 e 5 y 6 u 7 u 8 o 9 o 10 u

Unit 4: Customs and festivals

4.1 Spain and customs

4.1 F Algunas costumbres regionales (pp64–65)

1 Match the Spanish and English words and say whether each word is a noun or an adjective.

1 I noun 2 E noun 3 C noun 4 J noun 5 H adjective 6 F adjective 7 B noun 8 L noun 9 K noun 10 G adjective 11 A adjective 12 D adjective

2a Which festival does each sentence below refer to? Write A, B, C or D.

1 B 2 D 3 A 4 C 5 B 6 D 7 A 8 D

2b Answers will vary.

3a Escucha a estos cuatro amigos (1–4) hablando de las fiestas. ¿Expresan ideas positivas or negativas? Escribe **P**, **N** or **P+N**.

1 N 2 P+N 3 P 4 P

3b Escucha otra vez y escribe los adjetivos españoles correspondientes.

1 tonto 2 precioso 3 incómodo 4 demasiada 5 entretenida 6 agradable 7 interesante 8 única 9 fascinante 10 impresionante

Transcript

1 No entiendo por qué a la gente le gusta el peligro de correr con los toros; me parece tonto. No hay seguridad para los participantes y creo que los animales sufren.

2 Cuando vi los desfiles de moros y cristianos, pensé que era un espectáculo precioso con todos los trajes bonitos, pero me sentí incómoda en las calles porque había demasiada gente.

3 El Colacho fue una experiencia muy entretenida. Todo el mundo lo pasó muy bien y había un ambiente muy agradable. Lo encontré muy interesante y pienso que es una fiesta absolutamente única.

4 El año pasado, fui a ver las torres humanas en Tarragona. Es una fiesta fascinante y el proceso de formar la torre fue impresionante. Nos divertimos mucho ese día.

4 Translate these sentences into Spanish, using the preterite tense.

1 El año pasado visité Pamplona. El encierro es una costumbre extraña y fascinante.
2 Fue muy emocionante y la ciudad fue interesante.
3 Hace dos años fuimos a Burgos y vimos el Colacho; fue muy entretenido.
4 Ayer fuimos a ver el desfile. No me gustó mucho porque fue aburrido.
5 Vimos un concurso muy interesante. Las torres humanas fueron impresionantes.

5 Answers will vary.

4.1 H ¿Cambian las costumbres? (pp66–67)

1a Lee la sección A de este email de Laura, sobre su visita de intercambio a Mallorca. Contesta las preguntas.

1 a las ocho
2 un bollo y un café con leche
3 un bocadillo (enorme) para comer durante el recreo
4 porque las clases terminaron a las dos y media y volvieron a casa para comer
5 Tomó su café y leyó el periódico.
6 la abuela y el hermano pequeño
7 No, aunque le gusta dormir una siesta (corta) los domingos.
8 Le gusta relajarse viendo su telenovela favorita.

1b Read section B and complete these sentences.

1 a 2 b 3 c 4 b 5 c

2 Complete the sentences with the correct form of the verb in brackets.

1 tuvo 2 hizo 3 tuve 4 tuvimos 5 hicieron 6 hice 7 tuvieron

3 Translate this text into Spanish.

Anoche Carlos se acostó muy tarde pero tuvo que levantarse temprano. Desayunó pero perdió el autobús y tuvo que andar al instituto. Llegó tarde y fue a sus clases. A las dos y media volvió a casa y tomó la comida. Por la tarde hizo los deberes y tuvo clase de piano.

4 Listen to Laura's report about tapas. Which sentences are correct? Write **A**, **B** or **A+B**.

1 A 2 B 3 A+B 4 A+B

Transcript

1 Otra costumbre típica en España es ir de tapas. Las tapas son pequeñas raciones de comida que se sirven en muchos bares. Pueden ser tapas frías como por ejemplo jamón, tortilla o chorizo o calientes como croquetas, patatas bravas o gambas.

2 Muchos de los bares no sirven las tapas en las mesas. La gente toma las tapas de pie apoyada en la barra del bar. A menudo un grupo de amigos decide ir a varios bares y toman unas tapas en cada uno: así cenan, comiendo un poco en cada sitio.

3 Hace años, las tapas eran gratuitas; los bares servían patatas fritas o aceitunas, por ejemplo, y tu solo pagabas la bebida. Por desgracia, las cosas han cambiado y ahora en muchos lugares se tiene que pagar.

4 Hoy en día la costumbre de las tapas también es popular en otros países. Hay muchos restaurantes de tapas en Inglaterra pero aquí no vamos de bar en bar tomando tapas como hacen en España.

5 Answers will vary.

4.2 Festivals in Spain and Hispanic countries

4.2 F Las fiestas del mundo hispano (pp68–69)

1a Read Cristina's account of her childhood in Mexico and choose the correct option to complete the sentences below.

1 b 2 a 3 c 4 b 5 a 6 b 7 c 8 a

1b Completa las frases con el verbo correcto.

1 vivía 2 celebraba 3 Hacían / ponían 4 encendían
5 ayudaba 6 visitaba / veía

2a Listen to Nicolás talking about 'El Carnaval de Oruro', a festival in his home town in Bolivia. Decide whether the following statements are true (**T**), false (**F**) or not mentioned (**NM**).

1 F 2 T 3 NM 4 T 5 F 6 F 7 F 8 T 9 NM

2b Escucha otra vez y rellena los números que faltan en estas frases.

1 17 2 230 3 200,000 4 200 5 10

Transcript

Hola, me llamo Nicolás, tengo diecisiete años y soy de Bolivia. Vivo en la ciudad de Oruro, que está a unos doscientos treinta kilómetros de La Paz. Oruro está en las montañas de Bolivia y mucha gente trabaja en las minas de plata y de estaño cerca de la ciudad. Sin embargo, en la actualidad la industria del turismo es muy importante. Cada año doscientas mil personas visitan la ciudad para participar en el famoso carnaval de Oruro. El carnaval es muy famoso y antiguo; empezó hace unos doscientos años. El carnaval se celebra todos los años en febrero y hay unos diez días de desfiles, bailes y música. Los mineros ofrecen regalos al diablo para protegerlos en las minas y bailan un baile tradicional que se llama la Diablada.

3 Translate these sentences into English.

1 During the festival they prepared traditional dishes and lit candles.
2 It was a very popular festival and the people dressed up as devils and skeletons.
3 We watched the parades and the dancing in the streets.
4 There were firework displays at the end of the day.
5 More than two thousand people went to the carnival which lasted about five days.

4 Answers will vary.

5 Answers will vary.

4.2 H Las fiestas de España – las Fallas (pp70–71)

1a Read the blog. In which sections (A–D) can you find information about the aspects of Fallas listed below?

1 B 2 C 3 D 4 D 5 C 6 C 7 C 8 D 9 D 10 A

1b Read the blog again and complete these sentences.

1 carpenters 2 spring 3 wood 4 neighbourhood
5 the figures 6 three weeks 7 fireworks
8 all the figures but one

2 Complete this story about Álvaro at the Fallas using the correct form of the verb in brackets.

1 vivía 2 tenía 3 se iban 4 decían 5 podían 6 tiraban
7 vino 8 nos levantamos 9 pudimos 10 había
11 vimos 12 fuimos 13 prendieron 14 se quemó
15 Fue 16 se sintió 17 se durmió

3 Escucha lo que dicen de las Fallas estos cuatro residentes (1–4) de Valencia. ¿Qué ventaja y desventaja menciona cada uno?

1	ventaja – G	desventaja – J
2	ventaja – B	desventaja – I
3	ventaja – A	desventaja – E
4	ventaja – H	desventaja – D

Transcript

1 Lo que odio es el ruido. La semana pasada los petardos me despertaron a las siete. Dicen que muchos visitantes vinieron para la fiesta y eso es bueno para la ciudad porque gastaron mucho dinero.

2 También creo que es fenomenal para la imagen de la ciudad porque la fiesta es famosa en todo el mundo. Lo que me molestó es que noté que los precios subieron en todas las tiendas.

3 Para mí, lo peor fue el desorden y la basura al final de la fiesta porque las calles estaban llenas de papeles y botellas. Sin embargo, los fuegos artificiales fueron impresionantes y muy bonitos.

> 4 A mí me molestó la cantidad de personas por las calles este año porque, en realidad, había demasiados visitantes en la ciudad durante las Fallas. Pero creo que "los ninots" eran muy creativos y artísticos.

4a Answers will vary.

4b Answers will vary.

Grammar practice (pp72–73)

1 Complete these sentences with the correct form of the verb and the adjective.

1 Ayer **fui** a las Fallas. Fueron muy **divertidas**.
2 El mes pasado Carmen **visitó** Pamplona. Es una ciudad muy **bonita**.
3 **Participamos** en un concurso absolutamente **único**.
4 **Vi** los desfiles durante la fiesta. Fueron muy **impresionantes**.
5 Muchos jóvenes **participaron** en el encierro. Fue muy **peligroso**.
6 **Comí** unas tapas típicas en la plaza.
7 Mi familia y yo **fuimos** a las Fallas. Nos **encantó** el ambiente.
8 Las familias prepararon platos **típicos**.
9 **Conocí** algunas tradiciones españolas. Algunas costumbres son un poco **tontas**.
10 Los participantes **gastaron** mucho dinero en los disfraces.
11 **Pasamos** una semana en Ronda. Nos **gustó** mucho.
12 Toni **participó** en la Tomatina. Fue muy **emocionante**.
13 Fue un día muy **entretenido** y **volví** el día después.
14 **Fui** a varias fiestas. Creo que son **fascinantes**.

2 Translate these sentences into Spanish.

1 Mi abuela durmió la siesta.
2 Mis padres leyeron el periódico.
3 Los niños durmieron durante el viaje.
4 Leí un libro.
5 Dormimos bien anoche.
6 Fernando leyó una novela.

3 Complete these sentences with the appropriate form of the verb. Then translate them into English.

1 había 2 hay 3 hay 4 Había

1 When we went to Valencia there was a lot of noise and fireworks.
2 Spain is a very interesting country and there are fascinating traditions in all the regions.
3 Tomorrow we're going to visit Sa Pobla. There is a festival.
4 There were some delicious tapas in the bar and we ate very well.

4 Match each number to the correct sentence.

1 19 2 300 3 56 4 275 5 22,000 6 125 7 200,000 8 1945 9 18 10 40

5 Translate these sentences into Spanish.

1 Sirvieron tapas.
2 Pidió un plato típico.
3 Preferimos el carnaval.
4 Sirvió una comida tradicional.
5 Pidieron un café y un bocadillo.

6 Complete the story with the correct form of the verbs in brackets.

1 llegué 2 aparqué 3 crucé 4 Busqué 5 almorcé 6 pagué 7 empecé 8 Saqué 9 comencé 10 Navegué 11 expliqué

Test and revise: Units 3 and 4

Reading and listening

Higher – Reading and listening (pp76–77)

1 Read the information about Christmas in Spain. In which section (A–C) does each aspect (1–6) appear?

1 B 2 C 3 B 4 C 5 A 6 B

2 Lee el texto y complétalo con la palabra más apropiada del cuadro.

1 fiesta 2 fantasma 3 miedo 4 disfraces 5 muertos

3 Translate this text into English.

The ticket includes the return journey by bus (the return bus journey), a shower, the entrance ticket to the Tomato Festival and a festival T-shirt. Departure will be from Valencia train station on the 26th August at 8am. The return will be the same day at 14.30 / 2.30pm from Buñol bus stop.

4 Read the description of the films and answer the questions in **English**.

1 A 2 B 3 C 4 A 5 He loses his dog. 6 ice skating 7 She can't walk. 8 an instrument and music lessons

5 Escucha a Pablo y Sofía hablando sobre las fiestas de su ciudad. ¿Qué ventaja y desventaja menciona cada uno?

1 Ventaja B Desventaja E 2 Ventaja C Desventaja H

Transcript

Me llamo Pablo. Vivo en Buñol y cada año las calles se llenan de gente y tomates para la Tomatina, la famosa fiesta de este pueblo. Es muy agradable que miles de personas se reúnan en un ambiente alegre pero, por otro lado, al final los voluntarios tienen que limpiar todos los tomates y la basura de las calles. Es un trabajo muy sucio.

Soy Sofía y soy de Pamplona. Todos los años en julio, celebramos los Sanfermines. La fiesta más famosa es el encierro. Consiste en que los toros corren por las calles llenas de gente. Esta fiesta es muy buena para la imagen de la ciudad porque Pamplona sale en la televisión todos los días. Para mí lo peor es que todos los restaurantes y las tiendas suben los precios durante la fiesta.

6 Listen to four people (1–4) speaking about Spanish customs. Decide which summaries are correct. Write **A**, **B** or **A+B**.

1 A 2 B 3 A+B 4 B

Transcript

1 Es genial que las clases terminen a las dos y media porque tienes oportunidad de hacer muchas otras cosas. Sin embargo, es desagradable tener que levantarse temprano para llegar al instituto a las ocho.

2 Creo que cenar a las nueve es demasiado tarde. Vas a la cama y acabas de comer y a veces, para mí, es difícil dormir. Creo que no es lo mejor para la salud.

3 Estoy muy a favor de la idea de la siesta. Es importante descansar después de comer y es bueno para el cuerpo y la mente. Además, con el calor que hace, es imposible trabajar a esas horas.

4 El horario de trabajo aquí en España es muy difícil, creo yo. Es muy duro volver a la oficina después de comer y no llego a casa hasta las ocho y media. Parece que me paso toda la vida trabajando.

7 Escucha a cuatro personas (1–4) hablando de su tiempo libre y decide si sus opiniones son positivas (**P**), negativas (**N**) o positivas y negativas (**P+N**).

1 P+N 2 N 3 P 4 N

Transcript

1 Soy aficionado del Atlético de Madrid. Vemos muchos partidos emocionantes y el éxito del equipo es estupendo. El único inconveniente es que las entradas cuestan mucho, más que en otros estadios, lo que me parece injusto.

2 En mi tiempo libre toco el piano y tengo clase todos los jueves. Para ser sincera, ahora tocar empieza a aburrirme y estoy pensando en dejarlo. Cuando mis amigas salen a divertirse, me fastidia quedarme en casa para practicar.

3 Por la mañana me levanto temprano y salgo a correr. Vivo cerca de un parque así que corro allí y es muy agradable estar al aire libre. Disfruto del ejercicio y de la oportunidad de pensar y organizarme el día mentalmente.

4 Soy la cantante de una banda y también toco la guitarra. Me encanta el aspecto creativo de escribir la música y las canciones. Lo peor es el mal ambiente cuando hay disputas entre miembros del grupo. Es muy incómodo.

Writing and translation

Higher – Writing and translation (pp78–79)

1a Un amigo español te escribe, pidiendo información sobre unas fiestas inglesas para un artículo que escribe para la revista del instituto. Escríbele una carta.

Suggested answer

En mi país tenemos una fiesta divertida el 5 de noviembre. Es para conmemorar un evento histórico cuando un hombre intentó destruir el parlamento. La noche del 5 de noviembre hay hogueras en los jardines de muchas casas y las familias comen perritos calientes. El año pasado fui con mi familia a un gran espectáculo de fuegos artificiales. Fue muy impresionante y el ambiente era fantástico. La hoguera era enorme y lo pasamos muy bien. Me gustan mucho las fiestas españolas porque son muy variadas y muy diferentes a las fiestas inglesas. Me gustaría mucho ir a la Tomatina porque para mi sería muy entretenida.

1b Una amiga española está escribiendo un proyecto sobre la televisión en otros países y te pide información. Escríbele describiendo en general la programación de la television en tu país.

Suggested answer

En mi país hay una gran variedad de programas de televisión. Para los que prefieren los programas culturales, cada día hay documentales y noticias. También hay series policíacas que son muy populares y concursos que pueden ser muy educativos. Hay muchos programas especiales para niños como por ejemplo dibujos animados. Mis programas favoritos son las comedias y algunas son muy divertidas. Lo que yo cambiaría son las telenovelas que ponen por la tele casi todas las noches. Son muy aburridas porque siempre hay discusiones y tragedias. Son muy tontas.

2 Translate these sentences into **Spanish**.

1 Mañana vamos a Valencia a ver el espectáculo de fuegos artificiales.
2 Ayer fui al cine y vi una película muy buena.
3 Carlos toca la batería y Lourdes canta con la banda.
4 Me gusta probar los platos típicos de la región.
5 Cuando era pequeño/a celebrábamos las Navidades en casa de mi abuela.
6 Jugué al tenis con mi hermano ayer y gané.
7 Anoche vi mi programa favorito por televisión.
8 Los amigos fueron a un concierto y se acostaron tarde.

3a Un amigo español te ha preguntado que haces normalmente en tu tiempo libre. Escríbele describiendo tu rutina durante el fin de semana.

Suggested answer

Durante la semana me levanto a las siete y desayuno media hora después. Como en el comedor del instituto más o menos a la una. Suelo acostarme sobre las diez y media o las once. En general, el día laboral empieza a las nueve y para los estudiantes las clases terminan a las tres o las tres y media. Sin embargo, el fin de semana no tengo que ir al instituto o levantarme temprano. Paso el día escuchando música y viendo la televisión. Otra cosa que es distinta es que durante la semana no hacemos la siesta porque sólo tenemos una hora para comer pero tengo más tiempo el fin de semana y suelo hacer la siesta. El sábado que viene voy a ir de compras con unos amigos y compraré una nueva mochila para el instituto. Por la tarde creo que voy a ir al estadio a ver un partido de fútbol.

3b Una revista digital española tiene un concurso sobre "por qué los jóvenes deberían hacer más deporte". Hay un premio de 100 euros. Imagínate que decides participar. Escribe a su sitio web.

Suggested answer

El deporte es muy importante para la salud de cada individuo y también tiene beneficios físicos y sociales. Los expertos dicen que para estar en forma tienes que hacer de veinte a treinta minutos de ejercicio cada día. Es bueno para el cuerpo, la piel y el corazón y te ayuda a perder peso. No hace falta gastar mucho dinero en ir al gimnasio, puedes correr por el parque o andar por el campo. Yo, por ejemplo, voy a la piscina tres veces por semana y no es muy caro. Además de la salud física, el deporte enseña disciplina y competitividad . Estas cosas pueden ser muy importantes en la vida en general. Con los deportes de equipo aprendes muchas habilidades sociales, como por ejemplo la importancia de la comunicación. También aprendes a seguir las reglas y a respetar a los rivales y la autoridad. Los deportistas entienden cómo responder a las derrotas y las victorias.

4 Translate this text into **Spanish**.

Suggested answer

La semana pasada fui a Cádiz con mi primo para ver / a ver el carnaval. Escuchamos las canciones divertidas de los grupos y vimos los trajes tradicionales de los participantes. Comimos en un restaurante excelente y probamos algunas tapas típicas de la región. Por la tarde vimos los desfiles antes de volver a casa. Me gustan las fiestas españolas porque son muy alegres y animadas.

Speaking

Higher – Speaking (pp80–81)

1 Answers will vary.

2 Answers will vary.

3 Answers will vary.

4 Answers will vary.

Theme 2: Local, national, international and global areas of interest

Dictionary skills

Victory with verbs (p83)

1 Read the sentences and do the following:

- circle the first letter of the main part of the reflexive verb
- look up the verb in your dictionary and write the infinitive of the reflexive verb
- write what the verb means in English

1 (l) llevarse (bien), *to get on*
2 (p) preocuparse, *to worry*
3 (r) relajarse, *to relax*
4 (a) acordarse, *to remember*
5 (e) encontrarse, *to meet*
6 (a) acostarse, *to go to bed*
7 (b) bañarse, *to have a swim*

Unit 5: Home, town, neighbourhood and region

5.1 Home

5.1 F ¿Cómo es tu casa? (pp84–85)

1 Match the Spanish and English words.

1 F 2 E 3 B 4 G 5 A 6 J 7 C 8 I 9 D 10 H

2 Escucha a estas personas hablando de donde viven y dando su opinión. Completa la tabla.

Nombre	¿En qué tipo de casa viven?	¿Dónde está?	¿Qué opinan?
Maite	una casa antigua	en la montaña	☹
Alonso	un chalet	en un pueblo (en Valencia)	☺
Emilia	una casa moderna	en la ciudad	😐
Mohamed	una granja	en el campo	☺
Susana	un piso	en la costa	☹

Transcript

1 Maite

Vivo en una casa antigua en la montaña. No me gusta nada porque no hay nada que hacer y queda muy lejos de la ciudad y de todas mis amigas.

2 Alonso

Vivo en un chalet en un pequeño pueblo de Valencia. Me gusta mucho la casa porque es muy grande y tengo mi propio dormitorio.

3 Emilia

Yo vivo en una casa moderna en la ciudad. La casa no está mal – es muy bonita – pero por desgracia el barrio es bastante ruidoso.

4 Mohamed

Vivo en una granja pequeña en el campo. Me encanta vivir allí porque me gusta trabajar con los animales.

5 Susana

Yo vivo en un piso en la costa. Odio vivir allí porque el piso es pequeño y no muy cómodo y tengo que compartir el dormitorio con mi hermana menor. Además, en verano el pueblo está lleno de turistas.

3 Lee este correo electrónico. Escribe **V**, (Verdad) **F** (Falso) o **NM** (No Mencionado) para cada frase.

1 V 2 NM 3 V 4 F 5 V 6 NM 7 V 8 F 9 V 10 F

4 Translate the first paragraph of Paco's email into English.

I live with my family in a semi-detached house on the outskirts of the city of Málaga. I quite like my house but my younger brother doesn't like it at all because it's quite old and too small for us. It only has two bedrooms, so I have to share a bedroom with my brother.

5 Translate these sentences into Spanish.

1 Los libros están debajo de la mesa.
2 Vivo lejos del centro de la ciudad.
3 Mi casa está cerca de la costa.
4 Mi abuelo vive en el campo.
5 La casa de mi amigo está cerca del instituto.

6 Mis libros están en la estantería / los estantes.
7 Mi dormitorio está al lado del cuarto de baño.
8 La librería está debajo de la ventana.

6 Answers will vary.

7 Answers will vary.

5.1 H Mi casa y mi barrio (pp86–87)

1 Read these adverts for flats and houses to rent and answer the questions below.

1 A, E, F 2 D 3 C 4 B 5 D, E, F 6 C, E 7 A, D 8 B, E, F 9 B, C, E 10 C

2 Estas personas buscan casa o piso. ¿Cuál de los pisos y casas de la actividad 1 es el más apropiado para cada uno? Escribe la letra del anuncio.

1 F 2 D 3 B 4 E

Transcript

Alonso — Quiero un piso pequeño en el centro cerca de las tiendas. Me gustaría estar en un piso alto porque será menos ruidoso.

Silvia — Busco piso y es esencial que no sea demasiado grande. Me gusta mucho estar cerca de la costa. Tengo un perro.

María — Mi marido y yo buscamos una casa grande en un barrio tranquilo. No queremos estar en el centro de la ciudad. A mí me encanta nadar y a mi marido le gusta cuidar el jardín.

Enrique — Mi familia y yo buscamos una casa bastante grande en el centro de la ciudad. No nos importa que no sea nueva. Queremos algo de espacio exterior. Es imprescindible que tenga sitio para aparcar el coche.

3 Lee otra vez los anuncios de la actividad 1 y busca en el texto otras maneras de decir estas palabras y frases.

1 amplio 2 cuenta con / dispone de 3 impresionante
4 apartamento 5 comercio 6 bien comunicado
7 no se admiten animales 8 céntrico
9 antiguo / de segunda mano
10 primera línea de playa / vistas al mar

4 Answers will vary.

5 Translate these sentences into Spanish.

1 ¿Dónde prefieres vivir – en la ciudad o en el campo?
2 ¿Cómo es tu nueva casa?
3 ¿Por qué te gusta vivir aquí?
4 ¿Cuándo vas a viajar a la costa?
5 ¿Con quién vas a la montaña?

6 Answers will vary.

5.2 Where I live

5.2 F Mi ciudad (pp88–89)

1 Match the Spanish and the English words.

1 B 2 H 3 C 4 F 5 G 6 A 7 E 8 D

2 Lee esta información sobre Barcelona y contesta las preguntas en español.

1 visitar Barcelona / su ciudad y compartirla con otros
2 los romanos
3 Se hizo mucho más grande.
4 avenidas, plazas, teatros y fábricas
5 hoteles, restaurantes y cines (todos los servicios de una gran ciudad).
6 tiendas, grandes almacenes y centros comerciales
7 Hay museos, iglesias, la catedral, el ayuntamiento (el puerto).
8 colegios, hospitales, bibliotecas, oficinas de correos, polideportivos (todos los servicios de una gran ciudad)

3 Translate these sentences into Spanish.

1 Ésta es mi casa y aquélla es la de Antonio.
2 Aquel chico es mi hermano.
3 ¿Qué es eso?
4 Éste es mi bolígrafo y ése es el tuyo.
5 "Pedro vive en Madrid." — "Sí, eso ya lo sabía."

4 Listen to Nieves and her grandfather talking about the town where they live. When they mention the activities below, are they referring to something happening now, in the past or in the future? Write **N** (now), **P** (past) or **F** (future).

1 F 2 P 3 P 4 P 5 P 6 N 7 F 8 F

Transcript

— ¿Qué vas a hacer el sábado que viene, Nieves?

— Voy a salir con mis amigos. Normalmente vamos al cine o al polideportivo, pero el sábado que viene creo que iremos al club de jóvenes.

— ¡Ay! Cuando yo era joven, no había tantas posibilidades. Hace cincuenta años, lo único que podíamos hacer era ir de paseo por el campo, jugar en el bosque o nadar en el río.

— ¿Cómo era el pueblo entonces, abuelo?

— Pues, era mucho más sucio porque mucha gente trabajaba en fábricas que ya no existen. Lo bueno era que había más tiendas. Ahora todo el mundo hace la compra en los hipermercados de la ciudad. Me pregunto cómo será el pueblo en el futuro, ¿Cómo cambiará?

— Bueno, creo que será mucho más limpio porque todos tendremos coches eléctricos y no habrá ninguna tienda porque todo el mundo hará la compra en línea.

5 Answers will vary.

6 Answers will vary.

5.2 H La ciudad y el campo (pp90–91)

1 Lee lo que escriben estos jóvenes mexicanos sobre el lugar donde viven y contesta a las preguntas.

1 R 2 X 3 E 4 R 5 E 6 R 7 X 8 E, X

2 Translate what Ximena says in activity 1 into English.

I live in Veracruz, on the East coast of Mexico. Although the city was founded in the sixteenth century, and it therefore has a lot of history, it is also an important industrial centre and it has a very large port. For this reason, not as many tourists come here as to other parts. However, I like the city because all my school friends live here.

3 Escucha a cuatro personas (1–4) hablando de la vida en el campo. ¿Qué opinan? Escribe **P** si la opinión es positiva, **N** si la opinión es negativa y **P+N** si la opinión es positiva y negativa.

1 N 2 P 3 N 4 P+N

Transcript

1 Ya sé que a mucha gente le gusta vivir en el campo, pero yo estoy harto de vivir aquí. No hay cines, no hay salas de fiestas, no hay cafés ni restaurantes. ¡No hay nada para los jóvenes!

2 Admito que vivir en el campo es algo que no es del gusto de todo el mundo, pero para mí es una vida ideal. El ritmo de vida es más tranquilo, la gente tiene tiempo para darte los buenos días y no existe la contaminación atmosférica que hay en las ciudades.

3 Desde mi punto de vista, lo único que me importa es que en la ciudad hay más trabajo. Por eso, quiero mudarme a la ciudad cuanto antes.

4 Sí, claro que tener empleo es muy importante y hay que reconocer que la vida de la ciudad tiene muchas ventajas: el ocio, la cultura, los servicios médicos... Pero si fuera a vivir a la ciudad, también echaría de menos las ventajas de vivir aquí en el campo.

4 Replace the underlined words in the following sentences with the correct form of the possessive pronoun.

1 el tuyo 2 la nuestra 3 mía, tuya 4 el suyo 5 el vuestro 6 mío, mío 7 la mía 8 el tuyo

5 Answers will vary.

6 Answers will vary.

Grammar practice (pp92–93)

1 Look at this plan of a Spanish flat and answer the questions.

1 el salón 2 el comedor 3 el dormitorio de los padres 4 el comedor 5 el dormitorio de los padres 6 la cocina 7 el dormitorio del hijo 8 el estudio 9 la cocina 10 el comedor

2 Translate these sentences into Spanish. Remember to use the verb *estar* when you are saying where something is.

1 Mi instituto está al final de la calle.
2 El cuarto de baño está enfrente de mi dormitorio.
3 La cocina está a la izquierda del comedor.
4 El ascensor está a la derecha de la(s) escalera(s).
5 El cuarto de baño está al final del pasillo.

3 Translate these sentences into Spanish.

1 ¿Con quién vas al instituto normalmente?
2 ¿En qué habitación está la televisión?
3 ¿En qué región vives?
4 ¿A quién dio tu padre el dinero?
5 ¿Con quién trabajas en la clase de español?

4 Make up questions which would elicit these answers. Start your question with *¿En qué…*, *¿Con quién…*, or *¿A quién…* every time.

Sample answers

1 ¿Con quién fuiste al partido de fútbol?
2 ¿A quién dijiste que Alejandro no podía ir?
3 ¿En qué ciudad vives?
4 ¿Con quién estaba hablando Jaime en la fiesta?
5 ¿A quién diste el regalo?
6 ¿En qué habitación pusiste el cuadro?
7 ¿En qué calle vives?
8 ¿Con quién saliste anoche?

5 Complete the sentences with the correct forms of *ir* or *hacer* in the present or preterite tense as appropriate. Then translate them into English.

1 vamos 2 fue 3 hizo 4 hace 5 vas 6 fueron 7 fuisteis 8 voy 9 hice 10 fueron

1 Normally, my brother and I go to school at 8.30.
2 Yesterday, my brother went to school at 9.15.
3 Last Saturday, my mother made a cake.
4 Generally, my father makes the evening meal.
5 At what time are you going to the sports centre tomorrow?
6 Last year, my grandparents went on holiday to Spain.
7 When did you go to the cinema last week?
8 I don't like going shopping so I don't normally go to the shopping centre.
9 Last night, I didn't do my maths homework.
10 My friends went to see the football match last Saturday.

6 Complete these sentences with *el que / la que / los que / las que*. Then translate them into English.

1 las que 2 el que 3 el que 4 La que 5 Los que 6 la que

1 What do you think of the houses they are building near the beach? Well, the ones I've seen are very nice / pretty.
2 Do you know any friend of Diego's? Yes, the one I know is a very pleasant boy.
3 Can you recommend a good restaurant round here? Yes, the one I like most is next to the town hall.
4 Is there a good café round here? The one I can recommend is opposite the church.
5 What do you think of the inhabitants of this town? The ones I know are very friendly.
6 Do you like Pedro Almodóvar's films? Well, the one I saw was very interesting.

Unit 6: Social issues

6.1 Charity and voluntary work

6.1 F Me gustaría ayudar (pp96–97)

1a Empareja los sinónimos.

1 G 2 H 3 B 4 J 5 A 6 C 7 E 8 D 9 I 10 F

1b Now say what all the words mean in English.

1 a charity shop 2 to be part of / to participate 3 to feel sleepy / to be tired 4 to be ill / to feel ill 5 pretty / beautiful 6 an old people's home 7 surprise / amazement 8 aim, objective 9 to be unemployed 10 I'd like

2 Read this text from the website of El Arca, a charity which supports disadvantaged children in Latin America, and answer the questions below.

1 United States / 13 years
2 He wanted to meet Juan, the boy he has been sponsoring for 3 years.
3 He was amazed / because he had imagined that Nicolás would be older.
4 what it was like to live in another country / that there are other languages (apart from Spanish) in the world
5 what it was like to live in a poor district in a big city / that Juan and his mother had to walk several kilometres to school every day

3 Translate these sentences into Spanish.

1 Me gustaría ser voluntario/a.
2 Me gustaría ayudar.
3 Me gustaría trabajar en una residencia de ancianos.
4 Me gustaría preparar las comidas.
5 Me gustaría recaudar fondos para la residencia.

4 Answers will vary.

5 Escucha a Pilar hablando de su trabajo como voluntaria en una residencia de ancianos. Luego lee las frases y escribe **V** (Verdad), **F** (Falso) o **NM** (No Mencionado).

1 V 2 F 3 NM 4 V 5 V 6 F 7 V 8 F

Transcript

Todos los sábados trabajo como voluntaria en una residencia de ancianos cerca de mi casa. Aunque me gusta el trabajo, no es fácil y las horas de trabajo son muy largas.

Empiezo a las ocho y primero tengo que servir el desayuno a los residentes. Luego tengo que arreglar sus dormitorios y paso un rato charlando con ellos. Algunos me cuentan cosas muy interesantes pero otros no oyen bien y es un poco difícil conversar con ellos.

A las once y media ayudo a preparar la comida y después sirvo a los residentes en el comedor.

Por la tarde, si hace buen tiempo, acompaño a algunos de los residentes a los jardines de la residencia o jugamos a las cartas en el salón o leo un poco a los que no tienen muy buena vista.

A las cinco, ayudo a preparar la cena antes de volver a casa. Normalmente estoy bastante cansada pero me gusta el trabajo porque me parece que es un trabajo útil y muchos de los ancianos me agradecen lo que hago por ellos.

6 Answers will vary.

6.1 H La importancia de hacer obras benéficas (pp98–99)

1 Lee lo que han publicado en un sitio web para jóvenes voluntarios y contesta a las preguntas. Escribe **Sara**, **Victor**, **Juanjo** o **Rosa**.

1 Sara 2 Víctor 3 Rosa 4 Sara 5 Juanjo 6 Víctor 7 Juanjo 8 Rosa 9 Sara 10 Víctor

2 Translate the second paragraph of Sara's post into English.

I have a lot of friends here, and although in the outside world I know there are people who are disgusted by the idea of a person who has AIDS, in school we aren't aware of / don't experience any discrimination. Many people don't understand that if you look after yourself well, you can live like everybody (else).

3 Translate the sentences into Spanish using the conditional form of the verb.

1 Sería imposible hacer todo ese trabajo.
2 No sabía si Paco ayudaría o no.
3 Estaba seguro/a de que llegaría pronto.
4 Dijo que atendería a los clientes en la tienda.
5 ¿Qué harías tú? / ¿Qué haría usted?

4 Listen to four people (1–4) talking about charities. Write **P** if their opinion is positive, **N** if it is negative, or **P+N** if it is both positive and negative.

1 P 2 N 3 P+N 4 P

Transcript

1 Pues, vamos a ver… Creo que las organizaciones benéficas son una parte muy importante de nuestra sociedad. Si no fuera por estas organizaciones, los bancos de alimentos y tal, en este país habría mucha más miseria; habría muchas personas necesitadas que estarían en riesgo de exclusión social. No tendrían donde vivir, no tendrían para comer. Cada mes dono una cierta cantidad de dinero para ayudarles.

2 Pues, mira… Lo que me fastidia es que no puedes pasear por las calles del centro de la ciudad sin que alguien se acerque para pedirte dinero para alguna obra benéfica. Y encima, quieren que firmes una hoja en la que te comprometes con una contribución regular. Y luego esas organizaciones gastan la mayor parte del dinero mandándote folletos pidiendo más. Es ridículo. No les doy nada.

3 Pues, no sé. Creo que es una pérdida de dinero colaborar con organizaciones que trabajan en el Tercer Mundo porque muy pocos recursos llegan a la gente que los necesita. Se lo quedan políticos corruptos. Aunque hago una excepción para las organizaciones ecologistas porque me parece que la crisis del medioambiente es algo que no podemos ignorar. ¡Hay tantos animales en vías de extinción! Así que solo doy dinero a las organizaciones que luchan por la protección del medioambiente.

4 Bueno, en realidad… yo diría que todas estas organizaciones hacen un trabajo imprescindible. Mira, hace unos años yo era uno de los "sin techo". No tenía nada, y unos voluntarios de varias organizaciones benéficas me ayudaron muchísimo. Tengo mucho que agradecerles. En cuanto a las contribuciones que puedo hacer, todavía no tengo mucho y no estoy en condiciones de darles dinero, pero trato de hacer lo que puedo donando ropa y artículos que ya no necesito a tiendas con fines benéficos para que puedan venderlos.

5 Answers will vary.

6 Answers will vary.

6.2 Healthy and unhealthy living

6.2 F ¿Llevas una vida sana? (pp100–101)

1 Traduce las palabras al inglés. Completa la tabla con las palabras.

Recetas para una vida sana	Recetas para una vida malsana
2 eat well	1 go to bed late
3 sleep eight hours	4 take drugs
6 avoid stress	5 get drunk
8 take exercise	7 smoke
9 get up early	11 have sugary drinks
10 keep fit	12 eat a lot of junk food

2 Lee lo que dicen estos adultos sobre su estilo de vida y di si llevan una vida sana o una vida malsana, o una mezcla de ambas.

1 vida sana 2 vida malsana 3 vida sana y malsana 4 vida malsana

3 Lee otra vez lo que dicen las personas de la actividad 2. Busca las siguientes expresiones en español.

1 Trato de evitar la comida basura.
2 (A mí) no me importa mucho mantenerme en forma.
3 Siempre tengo sueño.
4 Muchas veces tengo hambre y sed.
5 Tengo un trabajo muy estresante.
6 No duermo bien.
7 Muchas veces tengo dolor de cabeza.

4 Complete the sentences with a negative word. Then translate them into English.

1 nadie / "Have you seen Juan?" "No, I haven't seen anyone."
2 nunca / "When did you last go to the sports centre?" "I never go there."
3 nada / "Do you know what happened here?" "No, I don't know anything."
4 ni … ni / "I'm a vegetarian. I don't eat either meat or fish."
5 tampoco / "I don't have any money." "Neither do I. / I don't either."
6 ningunos / "I don't have any coloured pencils. Can you lend me some?"

5 Answers will vary.

6 Listen to six people (1–6) talking about their problems. When did the problem occurr? Answer **N** (Now), **P** (Past) or **F** (Future).

1 P 2 N 3 N 4 F 5 P 6 F

Transcript

1 Empecé a fumar a los catorce años y es la cosa más estúpida que he hecho en mi vida. Me costó mucho trabajo dejar el hábito.

2 Creo que no llevo una dieta muy sana. Por cierto, no tomo las cinco raciones debidas de fruta y verdura pero la verdad es que no me gusta mucho la fruta y las verduras. ¿Me puedes dar algún consejo de cómo mejorar la dieta?

3 Tengo un problema con el alcohol. Cuando salgo con mis amigos siempre termino emborrachándome y ahora ha llegado hasta el punto de que me afecta en el trabajo. No quiero dejar de salir con mis amigos pero reconozco que tengo que hacer algo.

4 Tendré unos exámenes muy importantes en verano y estoy preocupada porque estaré tan estresada que cuando lleguen no aprobaré nada. ¿Por favor, qué puedo hacer para evitar el estrés en los meses que vienen?

5 Quiero daros las gracias. Cuando llamé a este programa hace un par de años, tenía un problema muy grave con las drogas duras. Gracias a vuestros consejos, tuve una serie de visitas médicas en una clínica y me han ayudado a superar el problema.

6 Dentro de unas semanas voy a empezar un nuevo trabajo. He tenido mucha suerte de conseguir este trabajo porque es el trabajo de mis sueños. El problema es que tendré que trabajar muchas horas y me temo que no voy a tener ningún tiempo para hacer ejercicio físico. Soy una persona muy activa y esto me preocupa bastante.

7 Answers will vary.

6.2 H ¿Qué opinas? (pp102–103)

1 Lee este artículo de un periódico español y contesta a las preguntas. Contesta **V** si la frase es verdad, **M** si la frase es mentira y **NM** si no se menciona en el artículo.

1 V 2 M 3 V 4 NM 5 NM 6 M 7 NM 8 V

2 Translate these sentences into Spanish. Use the article in activity 1 to help you.

1 Algunos jóvenes compran bebidas alcohólicas en los supermercados.
2 Hay un problema grave con el consumo de drogas.
3 Las estadísticas muestran que los chicos se drogan más / toman más drogas que las chicas.
4 Muchos jóvenes se emborrachan cuando van a botellones.
5 La edad en que los estudiantes de secundaria empiezan a fumar ha subido.

3 Rewrite these sentences using the correct form of the present subjunctive of the verb in brackets.

1 hables 2 haya 3 coma 4 decida 5 hagamos

4 Listen to this conversation between four young people. Are the sentences true (**T**) or false (**F**)?

1 F 2 T 3 T 4 F 5 F

Transcript

Hola, soy Paco. Yo creo que el alcohol causa muchos problemas de salud, como por ejemplo, puede afectar al hígado. Hay jóvenes que consideran que es normal emborracharse cada fin de semana. ¿Qué opinas tú, Nieves?

Pues ya sé que hoy en día hay muchos jóvenes que participan en los botellones pero en general no estoy de acuerdo contigo. Creo que si bebes con moderación, no causa tantos problemas. Para mí, los problemas que provoca el tabaquismo son mucho más graves. No solo causa ataques cardíacos sino también afecta a los pulmones y causa problemas respiratorios. ¿No es verdad, Felipe?

Pues, estoy de acuerdo con que fumar es un hábito asqueroso, pero para mí son las drogas lo que hace más daño al cuerpo. Hay una chica en mi clase que se drogó en una fiesta y tuvieron que darle primeros auxilios y llevarla al hospital. Por lo que se refiere a las drogas, algunas drogas no solo hacen daño al cuerpo sino también al cerebro. ¿Qué crees tú, María?

Es verdad que las drogas causan problemas muy graves y, claro, los drogadictos tienen que aguantar el síndrome de abstinencia si quieren dejar el hábito. Pero en realidad no hay tanta gente que se drogue habitualmente, mientras que el problema del sobrepeso afecta a la mayoría de la población y también provoca muchos problemas de salud. Ese es el peor problema al que nos enfrentamos, creo, porque afecta a casi todo el mundo.

5 Answers will vary.

Grammar practice (pp104–105)

1 Which tense of the verb is used in each sentence?

1 Imp 2 Fut 3 Pret 4 Im Fut 5 Pres 6 Pret

2 Change the infinitives in brackets to the gerund. Then translate the sentences into English.

1 haciendo 2 vendiendo 3 bebiendo, charlando 4 llenando, ayundando 5 asistiendo

1 What are you doing?
2 We have collected a lot of money for a charity selling second-hand things.
3 We spent the whole afternoon drinking coffee and chatting.
4 I work in a charity shop filling shelves and helping customers.
5 My brother is attending a meeting about the problems of homeless people in the city.

3 Match the sentence halves. Then translate them into English.

1 d 2 a 3 f 4 e 5 b 6 c

1 To keep fit, you have to do a bit of exercise every day.
2 You must avoid fatty food if you want to lose weight.
3 To live a healthy life, it's necessary to avoid alcohol and tobacco.
4 If you drink alcohol, you have to do it in moderation.
5 If you smoke a lot, you must think of the damage you're doing to your health.
6 You must avoid stress if you want to live a healthy life.

4 Translate these sentences into Spanish.

1 Hay que comer cinco raciones de fruta y verdura cada día.
2 No debes fumar tanto.
3 Tengo que hacer más ejercicio físico.
4 Debemos comer menos comida basura.
5 Hay que evitar las bebidas azucaradas.

5 Complete this passage, putting the words in brackets into the correct form of the imperfect tense. Then translate the passage into English.

Cuando **tenía** ocho años, **vivía** con mi familia en una aldea muy aislada de la sierra. Mi abuela **contaba** que cuando ella **era** pequeña, el pueblo no **tenía** electricidad y ni siquiera **había** carretera – la gente **iba** a pie o **montaba** a caballo. Mis hermanos y yo siempre **comíamos** mucha fruta y verdura porque mi abuelo las **cultivaba** en el jardín. Siempre **bebíamos** agua porque no **había** otra cosa.

When I was eight, I lived with my family in a very isolated village in the mountains. My grandmother used to say that when she was little, the town didn't have electricity and it didn't even have a road – people went on foot or rode horses. My brothers and I always used to eat a lot of fruit and vegetables because my grandfather used to grow them in the garden. We always used to drink water because there was nothing else.

6 Translate these sentences into Spanish.

1. Cuando era más pequeño/a, no me gustaba la carne y solo comía fruta y verdura.
2. Paco fumaba mucho, pero ahora ha dejado de fumar.
3. Cuando teníamos ocho o nueve años, comíamos demasiados caramelos y bebíamos demasiadas bebidas azucaradas. No llevábamos una vida muy sana.

Test and revise: Units 5 and 6

Reading and listening

Higher – Reading and listening (pp108–109)

1 Read this post from the website of a charity which organises volunteer placements in South America. Then answer the questions below in English.

1. as an escape from extreme poverty / as a result of the death of their parents / a family member
2. drug addiction / violence
3. education / (vocational) training
4. to find work for the children (when they finish the programme)
5. teaching (technical classes) / organising activities / spending time with the children
6. 12 weeks In order to maintain some stability in the children's lives

2 Lee este artículo, que forma parte de un programa de educación para la salud, y contesta las preguntas en la página siguiente.

1 C 2 B 3 B 4 A

3 Translate this passage into **English**.

Rural life might (could) seem very attractive if you visit a picturesque village when the sun is shining. However, if you have never lived in the country(side), it is necessary to (you have to) think of the practical difficulties of living there. What will that place be like in winter when it snows? Where would you buy a loaf of bread?

4 Listen to Marcos talking about his lifestyle, and complete the grid below.

	Previously...	Now...	Ideally...
House	*Flat, in the town centre*	Bungalow / villa / detached house (1), in outskirts (1)	Farm (1), in countryside (1)
District	Lots of shops (1), but noisy (1)	*Quiet, but shops are a long way off*	Somewhere pretty (1), near a station (1)
Daily routine	*Got up at eight, walked to school*	Gets up at 7.30 (1), catches bus (1)	Would get up at 6.00 (1), (father would take him) by car (1)
Lunch	(Mother's) roast chicken (1), at home (1)	Sandwich (1), school canteen (1)	*Hamburger, In a café*

Transcript

¿Dónde vives, Marcos?

Acabamos de mudarnos a un chalet en las afueras. Antes vivíamos en un piso en el centro. En el futuro, me gustaría vivir en una granja en el campo.

¿Cómo es el barrio donde vives ahora?

Es un barrio muy tranquilo. La desventaja es que las tiendas quedan muy lejos. En el centro había muchas tiendas pero había mucho ruido. Si pudiera, viviría en un lugar bonito pero cerca de una estación de tren.

Ahora que te has mudado de casa, ¿ha cambiado tu rutina diaria?

Pues, sí. Antes, cuando vivíamos en el centro, me levantaba a las ocho e iba al instituto a pie. Ahora, como el instituto queda más lejos, tengo que levantarme media hora antes para coger el autobús. Si viviera en una granja tendría que levantarme a las seis para dar de comer a los animales y luego mi padre me llevaría al instituto en coche.

Y antes volvías cada día a casa para comer, ¿no?

Antes, sí, pero ahora no tengo tiempo. ¡Ay! ¡Cómo echo de menos el pollo asado que preparaba mi madre! Si tuviera más dinero, comería una hamburguesa en una cafetería, pero como no tengo, por el momento tengo que comer un bocadillo en el comedor del instituto.

5 Escucha a estos jóvenes (1–4) dando sus opiniones sobre sus amigos. Escribe **P** si la opinión es positiva, **N** si la opinión es negativa y **P+N** si la opinión es positiva y negativa.

1 N 2 P 3 P+N 4 P

Transcript

1 No sé qué hacer con mi amigo José. Ha empezado a beber demasiado y se emborracha a menudo; encima, ayer me dijo que ha empezado a drogarse. ¡Qué tonto es! He intentado hablar con él, pero no quiere escucharme.

2 ¡Admiro tanto a mi amiga Gloria! Siempre intenta comer sano y hace ejercicio todos los días. Y, aunque tiene amigas que fuman y que le ofrecen cigarrillos, no se deja tentar nunca.

3 Mi amigo Jaime siempre tiene buenas intenciones. Me dice que va a dejar de fumar y que va a hacer más para mantenerse en forma. Es verdad que ahora hace mucho más ejercicio que antes, pero en cambio, cada vez que sale con sus amigos empieza a fumar otra vez.

4 Mi amiga Elena es muy deportista. Está muy dedicada a lo que hace y siempre quiere mejorar. Entrena todos los días y sigue una dieta muy sana y muy estricta. Nunca fuma, nunca bebe alcohol. ¡Es una maravilla!

6 Escucha esta conversación entre Juan, Andrés y María y decide quién hace estas observaciones. Escribe **A** (Andrés), **J** (Juan) o **M** (María).

1 M 2 J 3 J 4 A 5 M

Transcript

¡Hola, Juan! ¿Qué tal?

¡Hola, María! Alguien me ha dicho que vas a mudarte de casa y que vas a vivir en Madrid. Será un cambio muy grande ¿no?

Sí, Juan, pero creo que voy a pasarlo bien. En Madrid se pueden hacer muchas cosas. Aquí en este pueblo pequeño de la sierra estamos muy aislados, ¿no te parece, Andrés?

Pues, no sé. Aquí todo el mundo se conoce. Puedes sentirte más solo en una ciudad grande que aquí en el pueblo. ¿Qué opinas tú, Juan?

Pues, el problema aquí en el pueblo es que hay mucho desempleo. Si quieres un buen trabajo creo que es mejor vivir en la capital.

Sí, Juan. Tienes razón.

Writing and translation

Higher – Writing and translation (pp110–111)

1a Un(a) amigo/a español/a te ha preguntado si participas como voluntario/a en algún grupo. Escríbele hablando de tu experiencia como voluntario.

Suggested answer

Los sábados trabajo como voluntario en una tienda solidaria que recauda dinero para proteger el medio ambiente. Me parece que es importante ayudar porque hay que proteger la naturaleza y salvar a animales en vías de extinción. Los sábados me levanto temprano porque tengo que estar en la tienda antes de las nueve, cuando se abre. Normalmente sirvo a los clientes y relleno los estantes pero el sábado pasado tuve que ayudar a ordenar la tienda y no me gustó. En el futuro voy a salir con el grupo al campo y trabajar con otros jóvenes limpiando el bosque.

1b Un(a) amigo/a español/a te pregunta si crees que llevas una vida sana. Escríbele un correo electrónico hablando de tu dieta y el ejercicio que haces.

Suggested answer

Generalmente tomo cereales de desayuno y luego, a mediodía, tomo un bocadillo y una manzana. A las seis ceno carne o pescado. Por ejemplo, ayer tomé una chuleta de cerdo con patatas fritas y guisantes. Creo que tengo una dieta bastante sana porque normalmente tomo las cinco porciones de fruta y verdura cada día. No hago mucho ejercicio porque no me gustan los deportes pero los sábados voy a la piscina. Creo que es estúpido fumar porque daña los pulmones pero está bien beber con moderación. En el futuro voy a salir a correr porque necesito hacer más ejercicio físico.

2 Translate these sentences into **Spanish**.

Suggested answers

1 ¿Con quién fuiste al cine ayer?
2 Ese / Aquel dinero es mío.
3 Me gustaría vivir en España.
4 Dijo que ayudaría mañana.
5 Sabía que (él) no vendría.
6 Nunca hace nada.
7 Es imposible que venga mañana.
8 Quiero que me ayudes.

3a Un(a) amigo/a español(a) te ha pedido que escribas un artículo para la revista de su instituto sobre la vida de los jóvenes británicos.

Suggested answer

En el campo el paisaje es muy bonito y se puede respirar aire puro, pero no hay mucho que hacer y apenas hay autobuses. En la ciudad, la vida es más animada y hay muchas diversiones. Además, es más fácil visitar a tus amigos porque el transporte público es mejor. Por eso, yo prefiero vivir allí. El sábado pasado, por ejemplo, me encontré con mis amigos en el centro y, después de pasar un rato mirando escaparates, fuimos al cine a ver una película de aventuras que me gustó mucho. ¡Qué bien!

Lo peor de mi ciudad es que hay mucha basura y muchas pintadas. Creo que da una mala impresión y a mi modo de ver, el ayuntamiento debería hacer más para mantener la ciudad limpia.

En el futuro, en mi ciudad habrá una estación para trenes de alta velocidad, lo cuál será estupendo porque podremos viajar más rápidamente a Londres y a otros lugares.

3b Una organización sudamericana para jóvenes te pide que escribas un artículo para su revista en línea sobre la actitud de los jóvenes británicos hacia varios problemas sociales.

Suggested answer

Claro que hay jóvenes que hacen cosas estúpidas, pero la mayoría de mis amigos nunca tomarían drogas porque saben lo peligrosas que son y todos están de acuerdo en que fumar es muy nocivo para la salud. En cambio, muchos de mis amigos toman bebidas alcohólicas, aunque por lo general, beben con moderación. Sin embargo, hace unas semanas, una amiga mía se emborrachó, se cayó y se hizo daño a la pierna. Tuve que llamar a una ambulancia y acompañarla al hospital .

Aunque aquí se habla mucho sobre el problema de la droga, a mi modo de ver, el problema del sobrepeso en nuestra sociedad es mucho más grave. Hay muy poca gente que es drogadicta, pero la obesidad es algo que afecta a casi la mitad de la población. Por eso creo que en el futuro nuestros hospitales se enfrentarán a una gran crisis, porque mucha gente sufrirá enfermedades como la diabetes.

4 Translate this text into **Spanish**.

Suggested answer

Si quieres mantenerte en forma, es importante comer con moderación. Un amigo mío siempre tiene hambre y no entiende que no se puede pasar todo el día comiendo. He intentado hablar con él pero nunca me escucha (no me escucha nunca). Si no tiene cuidado, tendrá muchos problemas de salud en el futuro.

5 Translate this text into **Spanish**.

Suggested answer

Cuando era joven, mi primo vivía en España. Sin embargo, dado que el pueblo donde vivía era muy industrial, no le gustó mucho. Por un lado, fue muy sucio y por el otro no hubo mucho empleo. Por eso, decidió mudarse a la costa.

Speaking

Higher – Speaking (pp112–113)

1 Answers will vary.

2 Answers will vary.

3 Answers will vary.

4 Answers will vary.

Unit 7: Global issues

7.1 Environment

7.1 F Protegiendo el medio ambiente (pp114–115)

1 Descubre el intruso de cada lista.

1 basura no reciclable 2 ir en coche 3 ahorrar dinero 4 agradable 5 me encanta 6 el contenedor 7 aceptar

2 Lee este blog sobre el medio ambiente y escoge un título de la lista para cada párrafo.

1 D 2 B 3 A 4 F 5 H 6 E

3 Match the sentence halves.

1 B 2 C 3 E 4 F 5 A 6 D

4 Now translate the full sentences in activity 3 into English.

1 If you have a shower instead of a bath, you will save a lot of water.
2 If you always recycle paper and cardboard, in a year you will save one or more trees.
3 If you unplug the electrical equipment you are not using, you will save a lot of electricity.
4 If you always separate the rubbish, you will reduce the amount of rubbish you produce by many kilos.
5 If you go to school on foot or by bike, you will help to reduce air pollution.
6 If we learn to care for the environment, we will preserve the earth for future generations.

5 Listen to these young people talking about the environment and decide which of the statements A–H each one makes.

1 C 2 A 3 F 4 B 5 H 6 E

Transcript

1 Agustín

Si todos ayudamos a hacer algo, creo que podremos hacer mucho para salvar el medio ambiente. Yo reutilizo siempre las bolsas de plástico y compro pilas recargables.

2 Irene

Estoy de acuerdo. Tenemos que deshacer el daño que generaciones anteriores han hecho al medio ambiente.

3 José

Sí. A mí me parece que mucha gente mayor echa la culpa a la juventud pero es injusto decir que somos nosotros los que hemos provocado estos problemas medioambientales. De hecho, somos nosotros los que estamos intentando mejorar la situación.

4 Nerea

Yo no creo que los problemas ambientales sean tan grandes. Me parece innecesario tomar medidas urgentes.

5 Miguel

¡Qué va! Estás equivocada, Nerea. Si no hacemos nada, habrá un desastre ecológico increíble.

6 Alicia

Sí, tienes razón, Miguel. Ya hay muchas especies de plantas y animales que desaparecen cada año.

6 Answers will vary.

7 Answers will vary.

7.1 H Problemas ecológicos (pp116–117)

1a Lee estos artículos de periódico y para cada uno escoge el título más apropiado.

1 E 2 A 3 C 4 D 5 B

1b Read the articles again and answer the questions.

1 A man was killed. / Buildings were ruined. / Over 30 people were rescued from vehicles.
2 About 100 inhabitants were evacuated. / A cloud of smoke covered the city. / There were power cuts because two power stations were threatened.
3 a long period of drought and high winds and hurricanes
4 because of global warming
5 because outside the western world the destruction of tropical forests is continuing and this causes a rise in CO_2, an increase in the size of the hole in the ozone layer and in the greenhouse effect
6 It hit a floating tree trunk which made a hole in it and let the water in.
7 a large oil slick and danger to sea birds

2 Translate article 5 from activity 1 into English.

Something is happening with the traffic in Madrid. There are traffic jams all day, not only at rush hours. It's clear that this situation not only causes many difficulties for the residents and businesses of the city, but also, the exhaust fumes produced by so many vehicles constitute a serious risk to the health of the population.

3a Listen to these radio announcements and say which problem each is discussing.

1 E 2 B 3 D 4 A

3b Listen again and say which actions you should do or not do.

1. You must not throw away cigarettes in wooded areas.
2. You ought to take normal precautions.
3. You must not use your car unless your journey is urgent.
4. You ought to avoid the beaches in the area.

Transcript

1 Las autoridades competentes han avisado de que en este período de sequía hay un riesgo muy alto de incendios. No se debe tirar cigarrillos en zonas forestales.

2 El servicio meteorológico avisa de que se prevén lluvias torrenciales esta noche y se esperan inundaciones en zonas de alto riesgo. Los habitantes afectados deberían tomar las precauciones normales en esta situación.

3 Como consecuencia del mal tiempo, hay un alto riesgo de atascos en toda la ciudad. Tráfico avisa de que no se debe usar el coche, a no ser que su viaje sea urgente.

4 A causa del accidente que le ocurrió ayer a un petrolero cerca del puerto de Algeciras, se avisa que la marea negra que se produjo como consecuencia del accidente se está acercando a la costa y que todos deberían evitar las playas de esta zona.

4 Translate these sentences into Spanish.

1. No deberías fumar. Te puede afectar a la salud.
2. A causa de la(s) lluvia(s) torrencial(es), las condiciones en las carreteras podrían ser difíciles.
3. No podemos ir a la playa porque hay una marea negra / una mancha de petróleo.
4. Debes / Se debe apagar la tele(visión) para ahorrar electricidad / energía.

5 Answers will vary.

6 Answers will vary.

7.2 Poverty and homelessness

7.2 F Los "sin techo" (pp118–119)

1 Busca el significado de las palabras en inglés (1–8) y luego emparéjalas con sus definiciones (A–H).

1. the homeless / E
2. the needy / G
3. a robber, thief / A
4. a hooligan / H
5. poverty / C
6. a rubbish dump, tip / F
7. an NGO (Non-governmental organisation) / D
8. violent / B

2 Lee el texto escrito por un niño de la calle que vive en Lima, Perú y contesta las preguntas.

1 B 2 C 3 B 4 A 5 B 6 B

3 Translate these sentences into English.

1. These vulnerable children must be protected.
2. Clothes are needed to give to the children when it's cold at night.
3. One / You can also contribute food for them.
4. One / You can't smoke here.

4 Listen to five people saying what they do to help combat poverty and homelessness. For each one, choose the correct summary from the list.

1 C 2 A 3 D 4 E 5 B

Transcript

1 Julia

Siempre que puedo, doy dinero a una organización no gubernamental que ayuda a los necesitados de países del Tercer Mundo.

2 Alonso

Yo formo parte de un grupo de jóvenes y cada sábado por la noche vamos al centro de la ciudad y damos sopa y otra comida caliente a los "sin techo".

3 Rosa

A mí me gustaría mucho ayudar a los necesitados, pero la verdad es que no tengo ni el tiempo ni el dinero.

4 Miguel

Durante las vacaciones trabajo como voluntario para una organización que recoge ropa y zapatos para mandar a los necesitados de países del Tercer Mundo.

5 Inma

Los "sin techo" han elegido vivir en la calle. Es su decisión y no veo la necesidad de ayudarles.

5 Answers will vary.

6 Answers will vary.

7.2 H Es importante ayudar a los demás (pp120–121)

1 Read this article about a community initiative in Galdakao, northern Spain, and answer the questions below.

1 People leave unwanted food in the fridge for others to help themselves to.
2 to avoid unwanted food and food reaching its sell-by date being thrown away
3 The fridge is more or less filled up and emptied every day. / because of the generosity the local population has shown / They've not yet thrown anything away. / There have been no acts of vandalism.
4 because the aim is to use up food which would otherwise end up on the rubbish tip
5 people without resources
6 the bosses of bars and restaurants

2 Translate the fourth paragraph ("*La idea es que … explica*") into English.

"The idea is that anybody can make use of the fridge because the main aim / objective is to use (up) food that would otherwise end up on the rubbish tip," continues the man in charge. "But, from the type of people who open the fridge to take out food, we think / it seems to us that the majority are people without / lacking in resources," he explains.

3 Complete these sentences with the correct form of the present subjunctive of the verb.

1 puedas 2 quiera 3 haya 4 encuentren 5 participen

4 Translate these sentences into Spanish.

1 Me preocupa que haya tanta pobreza en el mundo.
2 Me molesta que mucha gente no tenga / muchos no tengan suficiente comida.
3 Me fastidia / irrita que los restaurantes tiren mucha comida.
4 Me encanta que tu hermano pueda ayudar todos los sábados / cada sábado.

5 En Bogotá, Colombia, el ayuntamiento tiene un proyecto para mejorar las condiciones de uno de los barrios más pobres. Escucha a estos jóvenes hablar de lo que en su opinión, son los aspectos más importantes. ¿Quién hace estas sugerencias?

1 E 2 A 3 F 4 C 5 D 6 B

Transcript

Soy Alonso y a mí me fastidia que aquí, los servicios médicos no sean muy buenos. Yo creo que se necesita un centro médico. ¿Qué opinas tú, Beatriz?

Me preocupa que todavía haya casas en este barrio que no tengan electricidad. Además, a veces se corta la corriente en todo el barrio. En mi opinión, se debe mejorar el servicio. ¿Y tú, Carlos? ¿Qué opinas?

Estoy de acuerdo con que hay problemas con la electricidad, pero creo que hay problemas aún más urgentes. Me molesta que alguna de las casas más antiguas no tenga agua corriente. Me parece que en el siglo veintiuno todos deberíamos tener acceso a agua potable. ¿Qué piensas tú, Diana?

Me parece que con esas casas antiguas que no tienen ni electricidad ni agua corriente, la solución es obvia: derribarlas y construir bloques de pisos nuevos. ¿No estás de acuerdo, Enrique?

Hasta cierto punto. A mi modo de ver, no sirve de nada tener un piso nuevo si no puedes pagar el alquiler. El problema más grave de aquí es que hay mucha gente en paro. Yo creo que se deben crear más empleos. ¿No es verdad, Fátima?

No exactamente. Hay trabajo en otras partes de la ciudad pero si no tienes coche, es difícil llegar. Hasta ahora, aquí no ha habido servicio de metro y los autobuses son un desastre. Por eso, yo creo que se necesita un sistema adecuado de transporte público.

6 Answers will vary.

7 Answers will vary.

Grammar practice (pp122–123)

1 Underline the verbs in the pluperfect tense. Then translate the sentences into English.

1 habían instalado 2 había hecho 3 habían hecho 4 había salido 5 había visto

1 My uncle and aunt had installed solar panels several years ago but recently they realised how much money they save.
2 María had done several jobs before deciding that she wanted to be an engineer.
3 The pupils had never done so much to protect the environment.
4 When his friends arrived, Paco had already gone out to catch the bus.
5 When she went to live in the city, Susana had never seen so much pollution nor so much rubbish on the streets.

2 Put the verbs in brackets into the pluperfect tense.

1 había reciclado 2 había perdido 3 habían provcado, habían arruinado 4 habíamos tenido 5 había afectado, había sido 6 había decidido 7 habías estado 8 habíais visto

3 Put the verbs in brackets into the preterite tense. Then translate the sentences into English.

1 amenazaron 2 declaró 3 evacuaron 4 envió 5 se cortó 6 hubo 7 dijeron 8 amenazó

1 The forest fires threatened several districts of the city.
2 The mayor declared that the situation was very serious.
3 The authorities evacuated a lot of people.
4 The captain of the oil tanker sent an SOS.
5 Because of the fires, the electricity was cut off.
6 Last week there was a very big traffic jam in the city.
7 Experts said that there was a risk to health.
8 The oil slick threatened sea life.

4 Make the sentences negative.

1 **No** es español.
2 **Nunca** hace los deberes. / **No** hace **nunca** los deberes.
3 Pablo **no** conoce a **nadie**.
4 Mi hermana **no** quiere hablar con **nadie**.
5 **No** voy a decirte **nada.**
6 **Nunca** me pide dinero.
7 La ciudad **no** es **ni** antigua **ni** pintoresca.
8 **Nunca** hago **nada** los domingos.
9 **Nunca** había pasado las vacaciones allí. / **No** había pasado **nunca** las vacaciones allí.
10 Los niños de la calle **no** tienen un lugar donde vivir.

5 Translate these sentences into Spanish.

1 No trabaja mucho.
2 En efecto / De hecho / En realidad, no hace nada.
3 Nunca ha hablado con nadie. / No ha hablado nunca con nadie.
4 No he ido nunca a Madrid. / Nunca he ido a Madrid.
5 Los necesitados nunca tienen nada. / Los necesitados no tienen nunca nada.

6 Copy the sentences and underline the verbs in the imperfect subjunctive. Then translate the sentences into English.

1 tuviera 2 tuviera 3 tuviéramos 4 fuera 5 tocara 6 hablara

1 If Elena didn't have so much money, she would not be able to live in such a big house.
2 If I had more time, I would work as a volunteer in a charity shop.
3 If we had more money, we could give more help to the needy.
4 If Paco were rich, he would like to travel round the world.
5 If I won the lottery, I would leave my job immediately.
6 If I spoke Japanese, I would like to live in Japan.

Unit 8: Travel and tourism

8.1 Holidays and travel

8.1 F ¿Dónde te alojas? (pp126–127)

1 Completa la tabla con las palabras de la lista. Luego traduce las palabras al inglés.

Tipos de alojamiento...	Instalaciones de un hotel...	Cosas que necesitas cuando vas de camping...
un albergue juvenil (*youth hostel*) un camping (*camp site*) un chalet (*chalet*) un hotel de cuatro estrellas (*4-star hotel*) un parador (*state-owned hotel, in an historic building*) una pensión (*B & B*) un piso de alquiler (*rented flat*)	una cama de matrimonio (*double bed*) un comedor (*dining room*) un cuarto de baño (*bathroom*) una habitación individual (*single room*) una piscina (*swimming pool*) la recepción (*reception*) un restaurante (*restaurant*)	un abrelatas (*tin opener*) un bañador (*swimming costume*) papel higiénico (*toilet paper*) un saco de dormir (*sleeping bag*) una tienda de campaña (*a tent*)

2 Read the email and answer the questions below in English.

1 The car broke down.
2 The hotel had lost the reservations.
3 because they still had rooms free
4 very good – a 4-star hotel with modern facilities
5 It was a single room and quite small but it had a pretty balcony and the bathroom was very clean.
6 swimming in the pool
7 The rain came in her tent and her sleeping bag got wet.
8 the morning after the storm before breakfast, when they had packed their cases

3 Translate these sentences into Spanish.

1 Después de llegar al albergue juvenil, fuimos a la recepción.
2 Al entrar en la habitación, vimos que el suelo estaba sucio.
3 Antes de comer voy a nadar / bañarme.
4 Después de llegar a la playa fui de paseo / di un paseo / di una vuelta.

4 Escucha a ocho personas (1–8) hablando. ¿Dónde están?

1 C 2 G 3 A 4 H 5 E 6 B 7 F 8 D

Transcript

1 Así que son dos camas para tres noches. Estáis en la habitación número dos. Ya tenéis sacos de dormir, ¿no?

2 Un billete de ida para Madrid, por favor. ¿Qué andén es?

3 ¿Dos habitaciones dobles a nombre de González? Sí, ya tenemos las reservas. Son las habitaciones 202 y 204 en el segundo piso. Aquí tienen las llaves, señores. El ascensor está a la derecha. El desayuno se sirve entre las siete y media y las diez.

4 Necesito ver su pasaporte y la tarjeta de embarque, señora. El vuelo sale de la puerta número 6.

5 Voy al vestuario a ponerme el bañador. ¿Dónde he puesto la toalla?

6 Somos cuatro personas y tenemos una caravana y dos tiendas pequeñas. ¿Dónde están las duchas y los servicios?

7 Llene el tanque con gasolina sin plomo. Gracias.

8 ¿Tiene algún folleto sobre los monumentos de la ciudad? También quisiera comprar una guía de la región.

5 Answers will vary.

6 Answers will vary.

8.1 H ¿Qué hiciste y qué te gustaría hacer durante las vacaciones? (pp128–129)

1 Lee lo que han publicado estos jóvenes sobre sus vacaciones. Indica las seis frases verdaderas.

A B E F H J

2 Put the verbs in brackets into the correct form of the preterite or imperfect tense, as appropriate.

1 era, iba 2 pasábamos, hacía 3 estábamos, empezó 4 viajaban, cogieron 5 estaba, robaron

3 Escucha a estos jóvenes hablando de vacaciones pasadas y futuras y completa la tabla.

	Normalmente...	El año pasado...	En el futuro...
Alonso	*Vacaciones en la costa con sus padres*	Camping en la montaña con sus amigos	Esquí en Francia con su hermana
Gloria	Viaje en caravana con la familia	*Vacaciones en el extranjero con su hermana mayor*	Crucero por el Mediterráneo con su novio
Iñaki	Estancia en una pensión con los abuelos	Viaje por albergues juveniles con su primo	*Una visita a los Estados Unidos con un amigo norteamericano*

Transcript

1 Alonso

Cuando era más pequeño siempre iba de vacaciones a la costa con mis padres. Siempre viajábamos en el coche de mi padre. El año pasado fui de camping a la montaña con mis amigos. El año que viene espero esquiar en Francia con mi hermana.

2 Gloria

Hasta el año pasado siempre iba de vacaciones con mi familia. Cada año hacíamos un viaje en caravana. Sin embargo, el verano pasado decidí variar un poco y pasé las vacaciones en el extranjero con mi hermana mayor. El año que viene tengo planeado hacer un crucero por el Mediterráneo con mi novio.

3 Iñaki

Durante muchos años pasaba largas temporadas en una pensión con mis abuelos. Siempre iba en tren y luego cogía el autobús. Sin embargo, el año pasado mi abuelo estaba enfermo así que tuve que hacer otra cosa. Pasé las vacaciones con mi primo e hicimos un viaje por unos albergues juveniles. Mis vacaciones ideales para el futuro son una visita a los Estados Unidos con mi amigo norteamericano.

4 Answers will vary.

8.2 Regions of Spain

8.2 F Un folleto turístico (pp130–131)

1a Lee los extractos de un folleto turístico sobre las regiones de España y busca las siguientes expresiones en español.

1 está situada en el sur de España
2 turistas extranjeros
3 playas doradas
4 en el corazón de la península
5 con temperaturas muy frías
6 comida tradicional
7 la comunidad más pequeña de España
8 una gran variedad de flora y fauna
9 la región es conocida principalmente por sus vinos
10 una cocina variada

1b Contesta a las preguntas con el nombre de una de las tres regiones.

1 La Rioja 2 Andalucía 3 Andalucía 4 Andalucía
5 La Rioja 6 La Rioja 7 Castilla–La Mancha
8 La Rioja 9 Andalucía 10 Castilla–La Mancha
11 Castilla–La Mancha 12 Andalucía 13 La Rioja
14 Castilla–La Mancha

2 Translate the sentences into Spanish.

1 La ciudad de Madrid está situada en el centro de España.
2 Las casas están pintadas de blanco.
3 La oficina de turismo está abierta durante el verano pero está cerrada en invierno.
4 La región está cruzada por varios ríos.

3 Escucha a estos jóvenes hablando de las regiones donde viven. Escribe **R** si la región es principalmente rural, **H** si la región es principalmente de interés histórico, I si la región es principalmente industrial y **T** si la región es principalmente turística.

1 T 2 R 3 H 4 I 5 R

Transcript

1 Paula

Mi región es muy bonita. Hay muchas montañas, bosques y playas doradas pero casi no se nota el paisaje porque sobre todo en el verano todo está lleno de turistas. En realidad es eso lo que caracterizala región: coches extranjeros, autocares, tiendas de recuerdos, miles de sombrillas en las playas…

2 Santiago

La región donde vivo yo es preciosa. Hay montes y valles, hay campos con cultivos, ovejas o vacas. Hay pequeños pueblos pintorescos y granjas aisladas. Todo es muy verde. Y lo mejor de todo es que aquí no vienen muchos turistas.

3 Guadalupe

Vivo en una región del interior del país. Como está bastante aislada hay pocos turistas, pero no saben lo que se pierden porque hay muchos pueblos antiguos que son muy pintorescos y tantos recuerdos del pasado – castillos, iglesias, monasterios

4 Felipe

Algunas zonas de mi región son muy bonitas: hay montes, bosques, ríos y algunas playas preciosas, pero lo que predomina es la industria – hay fábricas, minas y refinerías – y, claro, todo esto produce mucha contaminación.

5 Lucía

Aunque hay algunas ciudades bastante industriales, la mayor parte de mi región son campos y bosques con pequeños pueblos aquí y allá con sus iglesias – un paisaje en general muy tranquilo y rural. No, no es una región turística en absoluto.

4 Answers will vary.

5 Answers will vary.

8.2 H Describiendo tu región (pp132–133)

1 Read this extract from the autobiography of the Spanish writer, Pío Baroja, and answer the questions below.

1 B, C
2 It was the centre of Madrid life and it was crowded night and day,
3 A, B, E, F, G

2a Lee lo que dice este anciano sobre los cambios que ha visto en su pueblo. Cambia los verbos subrayados de la pasiva verdadera (*ser* + participio pasado) a la pasiva refleja (usando *se*).

se fundó, se vendieron, se cortaron, se construyeron, se convirtieron, se cerraron, se abrieron

2b Translate the passage in activity 2a into English.

I think the town was founded in the time of the Romans. In the 1950s foreign tourists began to arrive and straight away many fields were sold, many woods were cut down and at the same time hotels, bars and restaurants were built. The fishing boats in the harbour were converted into pleasure boats to take the tourists on two-hour trips along the coast and the grocer's shops were closed and in their place souvenir shops were opened. What a disaster!

3 Escucha esta entrevista en un programa de radio con Elena Gutiérrez, una mujer de negocios española. Escoge de la siguiente lista las **tres** observaciones que hace Elena en la entrevista.

1, 3, 5

Transcript

Elena Gutiérrez, nuestra invitada de hoy, es una mujer de negocios que nació en una pequeña aldea de Cantabria, vino a Madrid a los 18 años y fundó su propia empresa. Elena, bienvenida a nuestro programa. Primero quisiera que nos hablara un poco de su vida en Cantabria. ¿Cómo es Cantabria en comparación con Madrid?

Cantabria es una región preciosa. Es más agraria, más rural, mientras que en Madrid hay más fábricas, más oficinas.

¿Y qué diferencias hay en el paisaje? ¿Cantabria es más verde, supongo?

Sí, todo es más verde, claro. Es una región muy montañosa, con bosques y ríos y en la costa hay playas muy bonitas.

¿Y Madrid es más fea?

Pues, como ya he dicho, hay zonas bastante sucias con muchas fábricas, pero también tiene barrios históricos que son muy pintorescos.

Y a nivel de clima, ¿qué diferencias hay?

Bueno, en Cantabria llueve con más frecuencia y a veces hay niebla. Aquí en Madrid hace más sol y muchísimo calor en verano pero en cambio en invierno hace un frío tremendo. Aquí en Madrid hay un clima más seco.

Dígame, ¿la comida es muy diferente?

Pues aquí en Madrid hay de todo – restaurantes chinos, indios, italianos, sudamericanos, franceses: vamos, de todo el mundo. En Cantabria la comida es más casera, más tradicional.

Entonces, ¿Qué región prefiere?

Por su belleza, Cantabria, pero si quieres tener éxito, si quieres hacer algo con tu vida, tiene que ser Madrid.

4 Answers will vary.

Grammar practice (pp134–135)

1 Which of the expressions in the *Gramática* box would you use in these situations?

1 ¡Que aproveche! 2 ¡Que duermas bien!
3 ¡Que te mejores pronto! 4 ¡Que tengas buen viaje!
5 ¡Que tengas mucha suerte! 6 ¡Que lo pases bien!

2 Match the sentence halves of pieces of advice and notices to travellers and holidaymakers.

1C 2A 3F 4D 5B 6E

3 Answers will vary.

4 Answers will vary.

5 Translate these sentences into English.

1. My Spanish friends had been living in Catalonia for 15 years.
2. We had been travelling through Spain for two days when we arrived in Madrid.
3. Paco had been working as an engineer for three years.
4. The environmental problems had been getting worse for several years.
5. María had been studying at university for five years before becoming a teacher.

Test and revise: Units 7 and 8

Reading and listening

Higher – Reading and listening (pp138–139)

1 Read this extract from a leaflet giving advice to young people about precautions to take while on holiday. Answer the questions below in **English**.

1. children, adolescents / teenagers, people with very white / pale / fair skin; They burn more easily. / Their skin is more sensitive to UV rays.
2. at times when the sun is least intense / strong / at its weakest

3 Never. / You should always avoid being in the sun for a long time.
4 use sun cream, wear cotton clothes, wear sunglasses, try to drink liquids
5 water and sand reflect / increase the intensity / strength of the sun
6 If you look after your health when young, you will feel the benefits throughout life.

2 Lee lo que varias personas han escrito sobre estas regiones españolas y sus gentes. Contesta a las preguntas en la página siguiente.

1 E 2 A 3 B 4 F 5 C 6 D

3 Translate this text into **English**.

I'm very worried that throughout the world there are children living in poverty / misery. The poor things are always hungry and sometimes have to put up with violent situations as well. The worst thing is that this happens not only in third world countries, but also in rich / wealthy countries. We ought to do more to solve this problem.

4 Listen to six people (1–6) talking about how the regions where they live have changed. Pick the correct summary for each person. You won't need two of the summaries.

1 E 2 A 3 G 4 C 5 F 6 H

Transcript

1 Cuando era pequeño, toda esta región era agrícola y la mayoría de la gente trabajaba en los campos. Luego, cuando se construyó la autopista, vinieron también las fábricas y las zonas industriales y hoy en día son muy pocas las personas que cultivan la tierra.

2 De niña, la capital de la provincia parecía muy lejana. Era un viaje en autocar de más de tres horas. Ahora, en coche y con las nuevas carreteras que tenemos, estás allí en media hora.

3 Echo mucho de menos los espacios verdes que había antes. Todo eso, donde ahora hay bloques de pisos, hace treinta años eran bosques, y además han cortado los árboles que había en las calles para hacer más carriles para los vehículos.

4 De hecho, hace veinticinco años este era un pueblo muy pequeño. Sí, tenía sus ventajas: nos conocíamos todos, por ejemplo. Pero ahora que el pueblo ha crecido tanto en los últimos años, la verdad es que hay más tiendas, más instalaciones, más diversiones. No quisiera volver a los tiempos de antes.

5 Desde que los turistas empezaron a venir aquí, esta zona ha perdido su carácter por completo. Entras en el bar de la esquina y no conoces a nadie: son todos extranjeros que han venido a pasar dos o tres semanas de vacaciones. El ambiente del lugar ha cambiado totalmente.

6 Cuando era pequeña, aquí había trabajo para todos: en los hoteles, en los restaurantes y también, para los hombres, en la construcción. Pero después de la crisis económica, ya no vienen tantos turistas, no se construye nada y hay mucho desempleo. Me pregunto cómo será el futuro para mis hijos.

5 Escucha estas noticias (1–6) e identifica en cada caso de qué se trata. Escoge de la lista abajo y escribe la letra correcta. No usarás dos de las letras.

1 E 2 C 3 H 4 A 5 D 6 F

Transcript

1 Un portavoz del Ministerio del Medioambiente ha declarado que sus investigaciones indican que el aumento del nivel de contaminación del río Colorado es consecuencia de la lluvia ácida que ha caído en la región en los últimos años.

2 Tráfico anuncia que, como consecuencia de un accidente grave que ha ocurrido esta mañana, hay un embotellamiento de varios kilómetros en el kilómetro 73 de la carretera N-345 y aconsejan a los conductores que eviten la zona o que dejen más tiempo para su viaje.

3 El huracán Adolfo que anoche golpeó la isla caribeña de Puerto Rico causó cuatro muertes y destruyó varios edificios importantes, según fuentes del gobierno portorriqueño.

4 El hundimiento del petrolero saudí que ocurrió en el Golfo el martes pasado causó una marea negra de varios kilómetros de largo. La organización ecologista Greenpeace ha advertido esta mañana que dicha marea representa un gran riesgo para la vida marítima de la región.

5 Los incendios forestales que empezaron en Cataluña hace dos días siguen ardiendo. El jefe del cuerpo catalán de bomberos ha destacado hoy la importancia de apagar bien los cigarrillos antes de tirarlos y de no dejar desperdicios, sobre todo botellas, en el campo.

6 Lluvias torrenciales caídas en la zona en los últimos días han producido inundaciones en varias poblaciones de la región. Hasta ahora no

se ha registrado ninguna muerte, pero sí hay un centenar de personas que se han quedado sin techo cuando las aguas entraron en sus casas.

Writing and translation

Higher – Writing and translation (pp140–141)

1a Un amigo español te ha preguntado sobre lo que haces durante las vacaciones. Escríbele contestando sus preguntas.

Suggested answer

Normalmente, vamos de vacaciones a casa de mis tíos en Escocia. Siempre lo paso bien porque me llevo bien con mis primos y pasamos todo el tiempo jugando al fútbol. Sin embargo, el problema es que llueve demasiado.

Por eso, el año pasado decidimos viajar a Mallorca. Nos alojamos en un hotel cerca de la playa y todos los días nadamos en el mar. Aparte del buen tiempo, lo que me gustó más era el ambiente del pueblo, porque siempre estaba muy animado por la noche.

El verano que viene, pensamos volver a Mallorca puesto que nos gustó tanto.

1b Un amigo español te ha preguntado lo que sabes de las distintas regiones de España. Escríbele un correo electrónico dando tu respuesta.

Suggested answer

He pasado algún tiempo en Cataluña. Me encanta la región porque hay de todo — playas, montañas, mucha historia, mucha diversión y ciudades grandes como Barcelona. Hace dos años fui a Barcelona con mis padres. Visitamos la Sagrada Familia y me pareció un edificio increíble aunque por desgracia, no lo han terminado todavía. Los catalanes son todos muy amables y nos ayudaron cuando tuvimos problemas.

En el futuro, me gustaría visitar Andalucía, porque como está en el sur del país, hace mucho calor allí. Además, quiero visitar Granada y Córdoba porque me entusiasma la arquitectura árabe.

2 Translate these sentences into **Spanish**.

1. Normalmente / Generalmente íbamos a la playa por la mañana, pero el miércoles hicimos una excursión por la montaña / la sierra.
2. Antes de entrar, hace falta / hay que / es necesario quitarse los zapatos.
3. La ciudad de Granada fue fundada / se fundó en la época de los moros.
4. Si viajamos al sur de España, hará mucho calor todos los días.
5. Antes de salir, mi tío nos dijo "¡Que tengáis mucha / buena suerte!"
6. Me preocupa que mi hermano llegue tarde.
7. Mi amigo/a francés/francesa había decidido volver a casa en barco.
8. Me fastidia / Me irrita que mi hermana nunca hable con nadie.

3a Un(a) amigo/a argentino/a quiere saber tu opinión sobre el medio ambiente. Escríbele un correo electrónico en el que expliques tu punto de vista.

Suggested answer

Para mí, es de suma importancia proteger el medio ambiente porque se trata del futuro del planeta. Por eso, es imprescindible reciclar, reducir y reutilizar. Mi familia y yo siempre separamos la basura y tratamos de ahorrar energía y agua. Por ejemplo, siempre apagamos las luces cuando no estamos utilizándolas y en vez de tomar un baño, nos duchamos porque así se usa menos agua. Además, reutilizamos las bolsas de plástico y usamos pilas recargables.

Puesto que en mi región hay muchos problemas con la contaminación atmosférica, el ayuntamiento ha tomado varias medidas para mejorar la situación. Ha tratado de limitar el número de vehículos que entran en el centro de la ciudad y se ha construido un nuevo tranvía.

Creo que los gobiernos del mundo deberían hacer más por frenar la deforestación, puesto que si no, aumentarán los niveles de CO_2 y por lo tanto, el tamaño del agujero de la capa de ozono.

3b Un(a) amigo/a colombiano/a te escribe, hablando de los problemas de los necesitados y los "sin techo" y quiere sabe su opinión. Escríbele una carta.

Suggested answer

A mí me parece una vergüenza que en un país civilizado haya gente que no tenga comida ni hogar y por eso creo que tenemos que hacer todo lo posible para ayudar a esas personas. Por ejemplo en la región donde vivo yo, hay cada vez más bancos de alimentos y un número creciente de gente "sin techo". El año pasado, decidí que debería hacer algo y ahora, cuando puedo, trabajo como voluntaria en un banco de alimentos. Recibimos donaciones de comida y otros productos como papel higiénico que luego entregamos a los necesitados. Un sábado por la noche hace un par de semanas, fui al centro de la ciudad con un grupo de jóvenes y les dimos sopa a los "sin techo". También creo que el gobierno debería hacer más porque grupos de individuos no pueden cambiar la situación solos. Hay que resolver el problema del desempleo y construir más viviendas baratas.

4 Translate this passage into **Spanish**.

Si quieres proteger el medioambiente, deberías separar la basura. El vidrio se pone en el contenedor rojo y el papel y el carton en el azul. El contenedor de la basura general es normalmente negro. Si se puede reutilizar / reutilizar el artículo, es mejor hacerlo. Me preocupa que tanta gente no siga estas reglas.

Speaking

Higher – Speaking (pp142–143)

1 Answers will vary.

2 Answers will vary.

3 Answers will vary.

4 Answers will vary.

Theme 3: Current and future study and employment

Dictionary skills

Small words with more than one meaning (p145)

1 Look up these four words in your bilingual dictionary. Then translate each sentence into Spanish. Make sure you find the right example sentence to help you translate correctly!

1 A Llegamos a eso de las seis / como a las seis.
  B Quiere hablar contigo sobre la fin de semana.
2 A Terminaremos para el martes.
  B Estaba sentada al lado de la ventana.
3 A Voy a la piscina.
  B ¿Están listos para salir?
4 A Está en Marruecos.
  B Glasgow es la ciudad más grande de Escocia.

Unit 9: My studies

9.1 School and subjects

9.1 F ¿Cómo ser un buen estudiante? (pp146–147)

1 Read the article. Match each tip to the correct summary (A–H). There are two you will not use.
1 D 2 H 3 C 4 G 5 E 6 B

2 Listen to the eight instructions being given by a teacher and match them to the correct option below.
1 B 2 H 3 A 4 F 5 G 6 E 7 C 8 D

Transcript
1 Muy bien; ahora abrid los libros para empezar la clase.
2 No escribáis nada hasta el final.
3 Para este ejercicio, habla con tu compañero.
4 María, no mires por la ventana, por favor.
5 Chicos, no hagáis los deberes durante la clase.
6 Carlos, no abras la ventana – hace frío.
7 Mirad el vocabulario en los cuadernos.
8 Ricardo – no hables durante la prueba.

3 Empareja las dos partes de las frases.
1 D 2 E 3 A 4 B 5 C

4 Complete the sentences with the correct positive command.
1 pregunta 2 aprended 3 habla 4 Mirad 5 Trabajad

5 Complete the sentences with the correct negative command.
1 hables 2 escribáis 3 mires 4 hagáis 5 interrumpas

6 Answers will vary.

7 Translate this text into Spanish. Use activity 1 to help you.
Asiste a las lecciones y participa en las discusiones. Usa los libros en la Biblioteca y completa tu tarea. No dejes tu tarea hasta el último minuto. Cuando tengas exámenes, repasa en un lugar tranquilo.

9.1 H ¿Qué tal el instituto? (pp148–149)

1 Lee la historia del primer día de Jorge en el instituto y contesta a las preguntas.
1 un poco nervioso y preocupado
2 si serían muy difíciles
3 Le pareció inmenso.
4 era muy distinta a la del colegio
5 anticuado y un poco deteriorado
6 las clases le parecen bastante difíciles
7 Sí, porque hay una sala de informática.
8 el patio del recreo

2 Complete the sentences with the personal *a* if it is required.
1 Voy a buscar **a** otro estudiante para que me ayude.
2 He conocido **a** muchos buenos chicos durante el primer curso.
3 No entendía **a** mi profesor de biología porque tenía un acento muy fuerte.

4 Esta mañana no podía encontrar el libro de curso.
5 Vimos un programa sobre la reina Isabel la Católica.
6 Encontré **a** Javier comiendo una hamburguesa en la cafetería.
7 Hay una nueva profesora de música que empieza hoy.

3 Listen to Sara's story about her first day at the same school and answer the questions.

1 A 2 B 3 B 4 C 5 A

Transcript

1 Mis primeros días en el instituto han sido muy diferentes a los del colegio. Para mí ha sido un cambio muy grande: compañeros y profesores nuevos, asignaturas distintas, un edificio más lejos de casa.

2 A mí lo que más me ha gustado han sido los recreos y los cambios de clase. Cuando se acaban las clases, se produce un atasco en la puerta de tanta gente que hay.

3 Mi tutora de matemáticas se llama Teodora y explica muy bien. Si estás atento, solo con que lo explique una vez ya lo entiendes todo.

4 Las clases que me parecen más largas, aunque duran lo mismo, son las de las últimas horas, porque estoy cansada, hambrienta y quiero llegar pronto a casa.

5 De momento el curso no es nada complicado, por lo tanto, hacer deberes es superfácil. Algunas asignaturas se me dan mejor que otras, pero eso pasa en todos los cursos.

4 Answers will vary.

5 Answers will vary.

Unit 10: Life at school and college

10.1 Life at school and college

10.1 F Las reglas y el uniforme (pp150–151)

1 Read the rules and find the correct summary (A–J). There are two you will not use.

1 H 2 B 3 F 4 D 5 E 6 J 7 G 8 C

2 Answer the questions in English.

1 all day and during the journey to and from school
2 if their son/daughter is absent
3 in the planner every week
4 chewing gum, mobiles and anything that could harm another person/individual
5 whenever the pupils are wearing their uniform

3 Using a range of expressions (*hay que, se debe, tienes que, tenemos que*), write the rules for the school uniform, using the pictures.

1 Hay que / Se debe / Tienes que / Tenemos que llevar una camisa blanca.
2 Hay que / Se debe / Tienes que / Tenemos que llevar una chaqueta azul.
3 Hay que / Se debe / Tienes que / Tenemos que llevar una falda gris.
4 Hay que / Se debe / Tienes que / Tenemos que llevar pantalones grises.
5 Hay que / Se debe / Tienes que / Tenemos que llevar una corbata roja.
6 Hay que / Se debe / Tienes que / Tenemos que llevar calcetines negros.

4 Listen to three students talking (1–3). Choose the good and bad points that each one mentions.

1 bad: B good: E
2 bad: F good: C
3 bad: H good: A

Transcript

1 Nuestra profesora de inglés nos deja usar el móvil para buscar palabras en los diccionarios en línea. Es muy práctico y rápido. Lo peor es el color de la chaqueta y la corbata: son de un marrón muy feo.

2 No está permitido correr por los pasillos, lo cual es una idea muy buena porque si no, los alumnos más pequeños sufrirían.

3 Con toda la ropa que necesitamos para el uniforme y para el deporte, el coste de comprarlo todo resulta muy caro. Esto puede ser un problema para algunas familias. Creo que está bien que las chicas no puedan llevar maquillaje; es un instituto, no una fiesta.

5 Translate the text into English.

There are many / lots of differences between English and Spanish schools. In my school we don't wear (a) uniform and we call our teachers by their first names not by their surnames. However, there aren't any activities during lunch or after classes.

6 Answers will vary.

7 Answers will vary.

10.1 H Lo bueno y lo malo del instituto (pp152–153)

1 Read Inma's blog post about her school and answer the questions.

1 B 2 C 3 A 4 A 5 C 6 B

2 Escucha las historias de estas cuatro personas y, en cada caso, decide si refiere al pasado (**P**), al presente (**PR**) o al futuro (**F**).

1A P 1B F 2A PR 2B F 3A P 3B PR 4A F 4B P

Transcript

1 Mi instituto anterior era genial. Los profesores ayudaban mucho y aprobé todos los exámenes. De momento, en mi nuevo instituto todo va fatal y estoy segura de que el mes que viene suspenderé las pruebas.

2 Por la mañana lo paso muy mal porque tengo miedo de ir al instituto. Cada día me pegan y tengo que aguantar el maltrato de unos chicos mayores. Pronto me van a cambiar de instituto y empezaré a vivir de nuevo.

3 Los profesores de mi hijo Ricardo dicen que el año pasado se portaba muy bien, tenía muy buena conducta y era obediente. Ahora resulta que es travieso en clase, charla constantemente y molesta a los otros alumnos.

4 Tengo un nuevo sistema para ayudarme a recordar las cosas. Cuando empiece el nuevo trimestre, cada día tendré preparados todos los materiales que necesito. El curso pasado los profesores siempre se enfadaban conmigo por no tener nunca lo necesario.

3 Translate these sentences into Spanish.

1 Deberían construir una piscina en el campo de deportes.
2 Debería haber películas durante la hora de comer.
3 Deberían permitir los móviles en el instituto.
4 El instituto debería prohibir el chicle.
5 Los profesores deberían usar más las pizarras interactivas / digitales.
6 Deberíamos poner plantas y flores en el patio.
7 Debería haber castigo más severo para el acoso.
8 Debería haber clases de repaso antes de los exámenes.
9 Los alumnos deberían escuchar la explicación del profesor / de la profesora.
10 Deberían cambiar el color del uniforme.

4 Answers will vary.

5 Answers will vary.

Grammar practice (pp154–155)

1 Complete the sentences with the verb in the perfect tense.

1 He terminado 2 Has aprendido 3 Ha escrito 4 hemos hecho 5 Han abierto 6 He contestado 7 Has aprobado 8 Ha entendido 9 ha repartido 10 han vuelto

2 Translate the sentences into Spanish.

1 Espero aprobar los exámenes en junio.
2 Odia estudiar educación física.
3 Intentamos aprender las fechas.
4 Prefiero usar el ordenador.
5 Queremos ver la película.
6 Pueden repasar el tema esta noche.
7 Decidí continuar con los estudios.
8 Odiaban hacer los deberes.
9 Esperaba suspender geografía.
10 Intentasteis entender la pregunta.

3 Rearrange the words to make sentences and translate them into English.

1 Escuchamos la radio desde hace media hora.
2 Ven la película desde hace cuarenta minutos.
3 Esperan al profesor desde hace veinte minutos.
4 Estudia francés desde hace seis meses.
5 Repasa los apuntes de historia desde hace dos horas.

1 We've been listening to the radio for half an hour.
2 They've been watching the film for forty minutes.
3 They've been waiting for the teacher for twenty minutes.
4 She's been studying French for six months.
5 He's been revising his history notes for two hours.

4 Complete the sentences with the appropriate imperative form of the verb.

1 corras 2 habléis 3 coja 4 Escriban 5 diseñad 6 aprendáis 7 grites 8 Conteste

5 Translate the sentences into English.

1 Juan (John) come here and put your book on the table.
2 Martín (Martin), go to the staffroom and tell señor (Mr) González that we have a problem.
3 Do this exercise but be careful / take care with number seven.
4 Leave the class(room) and be more polite in the future.

6 Translate the commands into Spanish.

1 Tenga cuidado con la(s) escalera(s).
2 No digas mentiras, Pablo.
3 Vaya a la oficina, señor Castillo.
4 No seáis tontas, chicas.
5 No hagan ruido en la biblioteca.

Unit 11: Education post-16

11.1 University or work?

11.1 F ¿Trabajar o estudiar? (pp158–159)

1 Match the Spanish and English words.

1 F 2 D 3 H 4 B 5 G 6 A 7 E 8 C

2a Read Esteban's message on a web forum. In what order does he talk about these issues?

D A E B C

2b Read the message again and answer the questions.

1 b 2 a 3 c 4 b 5 a

3 Complete the sentences with *lo que* or *lo*.

1 Lo 2 lo que 3 lo que 4 Lo 5 Lo 6 Lo que 7 Lo 8 lo que

4 Lee el texto y busca las catorce palabras con los sufijos *–mente, –ión, –oso, –dad, –ía*. Luego traduce el texto al inglés.

1 universidad 2 furioso 3 sociedad 4 habilidad (habilidades) 5 especialmente 6 biología 7 geografía 8 fabuloso (fabulosas) 9 fotografía 10 psicología 11 completamente 12 opinión 13 cuestión 14 personalidad

I have decided that I don't want to go to university and my father is furious. He says that in modern society, it's essential to show / demonstrate / prove your abilities / skills. My father is especially obsessed with certain subjects: he thinks that biology and geography are fabulous for understanding the world but that psychology and photography are useless. He is completely sure of his opinion and he doesn't accept that it is a question of the personality of the each person.

5 Escucha a cinco amigos (1–5) hablar de sus planes. ¿Quieren ir a la universidad (**U**), buscar trabajo (**T**) o no saben (**NS**)?

1 U 2 T 3 NS 4 T 5 NS

Transcript

1 Para tener éxito en la carrera profesional que quiero hacer tengo que tener un título, así que es importante que siga estudiando.
2 Si empiezo ahora a ganar experiencia en el mundo del trabajo, creo que tendré más oportunidades de promoción.
3 Es muy difícil decidir qué hacer porque me gusta estudiar pero, por otro lado, me gusta la idea de empezar a ganar dinero.
4 Me han ofrecido un trabajo en una tienda de ropa y he aceptado. Me interesa mucho la moda y me gusta mucho relacionarme con la gente.
5 Yo veo las ventajas y desventajas de las dos opciones y todavía no sé qué voy a hacer. Decidiré cuando tenga los resultados de los exámenes.

6 Answers will vary.

11.1 H ¿Vale la pena ir a la universidad? (pp160–161)

1a Lee el texto y busca las frases o palabras españoles correspondientes.

1 estáis a punto de 2 el precio 3 pedir dinero prestado 4 al final de la carrera 5 deberéis dinero 6 devolverlo 7 cuando tengáis 8 acabáis de hacer 9 no os preocupéis 10 podreis disfrutar 11 probar una actividad 12 no os olvidéis

1b Read the text again and answer the questions.

1 The article is written by the teachers of the Emilio Jimeno (high) school for their pupils / students.
2 to explain (some of) the benefits of going to university
3 the price of going to university
4 You only pay it back bit by bit when you have a decent / reasonable salary.
5 having to spend the next five years studying and revising

6 because they have just done exams and have worked very hard recently
7 At university there are lots of clubs, concerts, discos / parties and sports they can enjoy.
8 trying out a completely new activity
9 No, because it only talks about the benefits of going to university.
10 Yes, because it encourages them to pick up leaflets / information sheets on the world of work and apprenticeships.

2 Complete the sentences with the appropriate form of the verb.

1 sea 2 tengan 3 haya 4 vuelva 5 terminemos 6 vayáis

3 Listen to Andrea and choose the correct option for each question.

1 B 2 C 3 B 4 B

Transcript

1 Creo que me gustaría ir a la universidad pero prefiero quedarme cerca de casa para poder vivir con mi familia. No me apetece la idea de ir lejos de casa y vivir en una residencia de estudiantes.

2 Hay tres o cuatro universidades buenas en esta región así que no debería ser un problema. Las visitaré todas para ayudarme a decidir.

3 Lo mejor es que en general, mis amigos tienen los mismos planes que yo así que no voy a sentirme aislada y podré seguir viéndolos todo el tiempo.

4 Creo que cuando termine los estudios y tenga un título, podré encontrar un trabajo muy interesante y bien pagado.

4 Answers will vary.

Unit 12: Jobs, career choices and ambitions

12.1 Choice of career

12.1 F Buscar trabajo (pp162–163)

1 Read the adverts. Match each to the response they require (A–E).

1 D 2 E 3 B 4 A 5 C

2 Lee las descripciones de los trabajos (1–4) y emparéjalas con la persona más apropiada (A–D).

1 C 2 A 3 B 4 D

3 Listen to Andrés's interview and answer the questions.

1 b 2 a 3 c 4 c 5 a

Transcript

— ¿Por qué le interesa trabajar en el camping este verano?

— Creo que será un trabajo muy interesante y variado. Algunos días ayudaría con los juegos y otros días ayudaría a resolver problemas.

— ¿Cree que tiene la personalidad apropiada para el trabajo?

— Sin duda. Tengo mucha energía, soy una persona muy animada y también tengo mucha paciencia.

— ¿Se lleva bien con la gente?

— Sí, me llevo bien con todo el mundo, desde la gente mayor a los niños.

— ¿Qué experiencia laboral tiene?

— El año pasado trabajé en un hotel, a veces en la recepción y otros días como camarero. También he trabajado en una tienda y en una oficina.

— ¿Si le ofrecemos el trabajo, cuándo puede empezar?

— El trimestre termina en dos semanas así que puedo empezar a principios de julio.

4 Answers will vary.

5 Traduce las frases al español. ¡Cuidado: hay tres tiempos verbales diferentes!

1 Me interesa el trabajo porque será interesante y variado.
2 El trabajo ofrecerá muchas oportunidades y un buen sueldo.
3 Creo que soy una persona trabajadora y fiable.
4 He trabajado en una oficina y he ayudado en un instituto.
5 Puedo empezar el lunes próximo / el lunes que viene.

12.1 H El trabajo ideal (pp164–165)

1 Lee los textos y busca las frases.

1 la oportunidad de viajar
2 un empleo que ofrezca
3 un buen salario
4 posibilidades de promoción
5 tengo capacidades para ser
6 necesito estar con gente
7 compartiendo ideas
8 mejorar los conocimientos
9 mi carrera universitaria
10 desarrollar proyectos de forma autónoma

2 Vuelve a leer los textos. ¿A quién se describe? Escribe **C** (Conchi), **M** (Martín) o **C+M** (Conchi y Martín).

1 C+M 2 C 3 C 4 M 5 C+M 6 C 7 C 8 M 9 C+M 10 C+M

3a Empareja los trabajos en español con sus equivalentes en inglés.

1 B 2 H 3 C 4 D 5 G 6 A 7 E 8 F

3b Escucha a estas cuatro personas hablando de su trabajo actual y el trabajo que quieren hacer. Rellena la tabla.

	Trabajo actual	Problema	Trabajo ideal	Razón
Beatriz	Azafata	Tiene que trabajar muchas horas y a menudo por la noche	Secretaria	Para tener un horario fijo
Fernando	Granjero	Trabajo demasiado físico	Cartero	Sólo trabajan por la mañana
Inma	Contable	Empieza a aburrirse	Abogada	Es una carrera más desafiante
Jacinto	Albañil	Harto de trabajar bajo la lluvia y viento	Camionero	La independencia del trabajo

Transcript

1 Soy Beatriz y soy azafata en una compañía aérea grande. Tengo que trabajar muchas horas y a menudo durante la noche. Busco trabajo como secretaria porque entonces podría tener un horario fijo, de nueve a cinco.

2 Soy Fernando y soy granjero. Como ya que soy bastante mayor, el trabajo físico me cansa. Lo que me gustaría ser es cartero porque sólo trabajan por la mañana.

3 Me llamo Inma y hace diez años que soy contable; ahora ya empiezo a aburrirme de trabajar siempre con las cuentas y los números. Me apetece ser abogada porque sería una carrera mucho más desafiante.

4 Me llamo Jacinto y hoy es mi último día como albañil. Estaba harto de trabajar siempre bajo lluvia y viento y mañana empiezo una formación como camionero. Me gusta la idea de ser independiente en el trabajo.

4 Translate the sentences into Spanish.

1 Busco un trabajo que me dé posibilidades de promoción en la compañía.
2 Quiero trabajar con una compañía / empresa que tenga oficinas en otros países.
3 Me gustaría trabajar con gente que sea ambiciosa y creativa.
4 Necesito un trabajo que ofrezca un buen salario y buenas perspectivas.
5 Quisiera / Me gustaría un trabajo que me dé la oportunidad de trabajar al aire libre.

5 Answers will vary.

6 Answers will vary.

Grammar practice (pp166–167)

1 Complete the sentences with the correct word from the *Gramática* box.

1 razón 2 suerte 3 prisa 4 intención 5 ganas

2 Complete the sentences with the correct form of the verb *tener* and then translate the sentences into English.

1 Tienen 2 Tengo 3 Tienes 4 Tiene 5 tenemos 6 Tengo 7 Tiene 8 Tienen

1 They are lucky because the nearest university is excellent.
2 I intend to look for an apprenticeship.
3 You are right; there is a lot of unemployment at the moment.
4 He wants to look for work in tourism.
5 We are not in a hurry; the interview is in September.
6 I am lucky because there is a lot of work in my area / region.
7 She intends to carry on / continue with her studies.
8 They want to live in student accommodation / halls of residence.

3 Complete the sentences using the reflexive verbs in brackets.

1 aburrirme 2 quejarnos 3 levantarse 4 quedarte 5 acostaros 6 encargarme 7 ponerte 8 prepararnos

4 Complete the sentences with an adjective that is appropriate in meaning and agreement.

1 interesante / estimulante 2 aburrido
3 muy difícil / estresante
4 asignatura fascinante / creativa / relajante
5 divertido / interesante / bien pagado / desafiante
6 fascinantes / muy útiles
7 muy divertida / interesante / útil
8 simpáticos / amables / divertidos
9 útiles / interesantes / estupendas 10 útil

5 Correct the underlined adjectives in the sentences.

1 relajante 2 pagado 3 informáticos 4 fáciles 5 estresantes 6 ideal 7 divertido 8 estupendas

6 Complete the sentences with the correct form of the past continuous. Then translate the sentences into English.

1 Estaba leyendo 2 Estaba rellenando
3 Estaban viviendo 4 Estaba esperando
5 Estaban haciendo 6 Estaba revisando
7 ¿Estabas trabajando 8 Estaba escribiendo

1 I was reading the paper when I saw the advert.
2 He was filling in the application form when the secretary called him.
3 They were living in Madrid when Miguel lost his job.
4 She was hoping to find work as an accountant.
5 They were following a course in engineering.
6 I was studying the contract when I saw the error / mistake.
7 Were you working in the office in Barcelona?
8 I was writing the letter when I decided not to apply for the job.

Test and revise: Units 9–12

Reading and listening

Higher – Reading and listening (pp170–171)

1 Lee los dos textos y contesta a las preguntas. Escribe **C** (Carolina), **R** (Roberto) o **C+R** (Carolina y Roberto).

1 C 2 C+R 3 R 4 R 5 C 6 R 7 C+R 8 C

2 Read this extract from 'Historia de una maestra' by Josefina Aldecoa and answer the questions in **English**.

1 30
2 front
3 the oldest (pupils)
4 six to fourteen
5 mixed
6 she smiled
7 over fourteen / more than fourteen
8 in a tree / up a tree
9 if he was the oldest / Are you the oldest?
10 He shook his head and pointed to a girl (who looked younger).

3 Translate this text into **English**.

Advice for the first day of classes

In class, listen carefully to what the teacher says and take notes, if not you will find it difficult to remember it all. Note down the important details – for example the times of each lesson and the numbers of the classroom for each subject. This way, when you get home you will be able to look at your notes and prepare yourself for the second day.

4 ¿De qué aspecto de la vida del instituto hablan estos cuatro jóvenes?

1 G 2 E 3 A 4 C

Transcript

1 Van a gastar miles de euros en renovar el instituto. Tendremos un nuevo gimnasio, laboratorios modernos, una pizarra interactiva en cada aula y una sala de profesores más grande que la interior.

2 Durante varios meses los estudiantes tienen acceso a varios tipos de ayuda. Hay clases especiales durante la hora de comer, libros de repaso para cada alumno y sesiones cuando los profesores están en clase para dar apoyo individual.

3 Este año el éxito ha sido impresionante. La gran mayoría de los estudiantes han aprobado entre seis y ocho asignaturas y han suspendido muy pocos. Además, el director está muy contento con las notas.

4 Sólo hay que recordar estas reglas. No debéis hablar cuando el profesor está explicando y hay que levantar la mano antes de hablar. Si vais a faltar a clase, tenéis que traer una nota de vuestros padres. Los deberes se tienen que hacer cada semana.

5 Sara is talking about four members of her family. What job does each person do and what are they like? Choose the correct options for each person.

1 Job 3 Personality C
2 Job 6 Personality B
3 Job 1 Personality D
4 Job 5 Personality A

Transcript

1 Mi padre es periodista y trabaja para una revista famosa; escribe artículos sobre noticias y cosas que pasan en el mundo. Yo creo que es muy valiente porque a veces se encuentra en situaciones de peligro y violencia.

2 Mi madre es dependiente en unos grandes almacenes. Sirve a los clientes y vende ropa. Le gusta mucho su trabajo porque se relaciona bien con la gente y es muy habladora.

3 Mi hermano es maestro en una escuela de primaria cerca de su casa. Tiene una clase de niños de seis y siete años y dice que en general son muy simpáticos. Es muy paciente con ellos aun cuando son traviesos.

4 El mes pasado mi hermana mayor aprobó los últimos exámenes y ahora es la encargada de una peluquería. Trabaja mucho y tiene planeado tener su propio negocio algún día.

6 Andrés has chosen the four universities he wants to go to. What is the advantage and disadvantage of each one?

1 Advantage E Disadvantage L
2 Advantage B Disadvantage J
3 Advantage C Disadvantage G
4 Advantage F Disadvantage K

Transcript

1 La universidad número uno está aquí mismo en la ciudad donde siempre he vivido. Para ser más independiente, creo que me gustaría vivir un poco más lejos, en una residencia de estudiantes aunque nunca estaría solo porque la mitad de mis compañeros de clase quieren estudiar allí.

2 Todo el mundo dice que la universidad número dos es una de las mejores del país por la calidad de la enseñanza y los profesores. Sin embargo, mis amigos me advirtieron que por estar en una ciudad turística el coste de la vida es muy alto.

3 En verano visité la universidad número tres y para tecnología de la música, que es lo que quiero estudiar, los estudios de grabación son supermodernos. Por otra parte, en una página web estudiantil he leído algunos comentarios bastante negativos sobre esta universidad.

4 Me interesa la universidad número cuatro por la enorme variedad de actividades que ofrece como piragüismo en el río y un club de ajedrez, por ejemplo. Lo negativo es que está situada en la capital cuya población es de tres millones de personas. ¡Demasiada gente!

Writing and translation

Higher – Writing and translation (pp172–173)

1a Mandas un correo electrónico a un amigo español explicando las opciones que existen para cuando termines los exámenes.

Suggested answer

Si saco buenas notas en los exámenes, podré empezar los estudios de bachillerato. También es posible buscar un aprendizaje para ganar dinero además de mejorar mis conocimientos. La última posibilidad sería buscar trabajo en una de las ciudades cerca de donde vivo. Para mí lo mejor sería mejor continuar los estudios porque espero ir a la universidad para estudiar ingeniería. Quiero ir a la universidad porque para la carrera profesional que he elegido se necesita tener un título. También me gusta la idea de ser más independiente.

1b Un amigo argentino te pregunta sobre tu instituto. Escríbele dando tus opiniones.

Suggested answer

Una cosa de mi instituto que me gusta mucho es las actividades que podemos hacer durante la hora de comer. Es muy divertido porque hay deportes, bandas de música y clases extraescolares. Un aspecto que no me gusta es que está bastante lejos de mi casa y tengo que viajar media hora en autobús. Mi asignatura preferida es el inglés porque me gustan las lenguas y me gusta escribir historias porque soy una persona creativa. Un aspecto que cambiaría es la comida de la cafetería: no es muy sana y hay patatas fritas con todo.

2 Translate these sentences into **Spanish**.

1 Me encantan los idiomas y quiero estudiar español en la universidad.
2 Estoy harto/a de estudiar y repasar.
3 Creo que vale la pena continuar los estudios.

4 Lo que realmente quiero hacer es tomarme un año libre / sabático.
5 Los aprendizajes modernos ofrecen oportunidades excelentes.
6 No tengo las cualidades para ser profesor(a).
7 Voy a ver si hay ofertas de trabajo en el periódico.
8 Cuando era pequeño/a quería ser bombero/a.

3a Un amigo español te ha preguntado sobre los institutos en Gran Bretaña y cómo funcionan. Escríbele una carta.

Suggested answer

Empezamos a las nueve menos cuarto y el profesor pasa lista; luego tenemos dos clases, cada una de una hora. Después hay un recreo de veinte minutos y entonces hay dos clases más antes de la hora de comer. La última clase empieza a las dos y termina a las tres. Al final del día volvemos a casa y hacemos los deberes después de cenar. Tenemos deberes cada día. Algunos son difíciles pero depende de la asignatura. Tenemos que llevar uniforme, es azul, gris y blanco. En realidad, no está mal y es bastante práctico. En el otro instituto de mi pueblo llevan el uniforme marrón – es muy feo y aburrido. En general los alumnos de mi instituto son simpáticos y trabajadores y se comportan bastante bien en clase. De vez en cuando hay casos de acoso pero afortunadamente es muy raro.

3b Un camping español busca monitores para el verano. Decides escribir para solicitar trabajo como ayudante en el club infantil.

Suggested answer

Le escribo para solicitar un trabajo como monitor en el camping para este verano. Soy estudiante de español de un instituto británico y me encanta el español y la cultura de España. Me gustaría mucho trabajar allí para mejorar el español hablado y para experimentar la vida diaria en mi país favorito.

El trabajo que me gustaría más es ayudar en el club infantil porque tengo dos hermanos pequeños y juego mucho con ellos. Podría organizar una gran variedad de juegos y deportes y también sé tocar la guitarra, así que podría enseñarles algunas canciones en inglés o en español. Soy una persona animada, alegre y paciente y me llevo bien con gente de todas las edades. Tengo experiencia en cuidar niños pequeños porque he trabajado en una escuela de primaria y también tengo experiencia cuidando a los hijos de mi prima.

Puedo empezar el próximo mes, el dos de julio, y puedo trabajar durante seis semanas.

Espero que usted considere mi solicitud.

4 Translate this passage into **Spanish**.

En este momento estoy harto/a de estudiar y repasar y cuando termine los exámenes voy a celebrarlo haciendo una fiesta. Cuando termine el instituto espero estudiar derecho en la universidad. Lo malo de ir a la universidad es que es muy caro. Lo que espero hacer primero es tomarme un año libre / sabático para viajar.

Speaking

Higher – Speaking (pp174–175)

1 Answers will vary.

2 Answers will vary.

3 Answers will vary.

4 Answers will vary.

Notes